Cœur guimauve

Dans la même série

Tome 1 : **Cœur cerise**

Tome 3 : **Cœur mandarine**

Tome 3 ½ : **Cœur salé**

Tome 4 : **Cœur coco**

Tome 5 : **Cœur vanille**

Tome 5 ½ : **Cœur sucré**

Tome 6 : **Cœur cookie**

Création graphique : Laurence Ningre

Ce titre a été publié pour la première fois en 2011, en anglais,
par Puffin Books (The Penguin Group, London, England),
sous le titre *The Chocolate Box Girls – Marshmallow Skye*.

Traduction française © 2012 Éditions NATHAN, SEJER,
25 avenue Pierre de Coubertin, 75013 Paris
Loi n° 49-956 du 16 juillet 1949 sur les publications destinées à la jeunesse,
modifiée par la loi n° 2011-525 du 17 mai 2011.
ISBN : 978-2-09-253534-9

Cœur guimauve

Cathy Cassidy

Traduit de l'anglais par Anne Guitton

1

Je ne crois pas aux fantômes.

Je crois aux parquets qui craquent, aux courants d'air et aux hurlements du vent dans la charpente, parce que ça fait partie du jeu quand on vit dans une grande maison aussi vieille que Tanglewood.

J'ai toujours vécu ici. Papa et maman ont emménagé quand ma grande sœur, Honey, était encore bébé. Papy est mort très jeune, et quand Mamie Kate s'est remariée avec un Français nommé Jules, ils sont allés s'installer en France. Mamie Kate n'avait pas très envie de vendre Tanglewood, alors elle nous l'a donnée. Pour moi, cette immense bâtisse à deux pas de la plage est un vrai petit coin de paradis.

Il y a des gens qui la trouvent flippante, et je peux comprendre. On dirait un peu une maison hantée, avec ses murs en pierre jaune pâle couverts de lierre et ses grandes fenêtres arrondies à carreaux plombés.

Le genre de fenêtres derrière lesquelles on s'attend à apercevoir un visage triste et pâle surgi du passé. Comme dans les livres, quand l'horloge sonne les douze coups de minuit et qu'on entre dans un monde de mystères, d'intrigues et de dames en robe froufroutante qui vous traversent comme si vous n'étiez même pas là.

Avant, je rêvais que ce genre d'histoires m'arrive. Je voulais remonter le temps pour voir à quoi ressemblait le passé. J'ai grandi en écoutant des histoires de fantômes, j'ai passé des étés entiers à chasser les visions et les apparitions avec mes sœurs... sans jamais rien trouver.

Les seuls fantômes auxquels je crois maintenant, c'est ceux de Halloween : des petits monstres au visage poisseux, un drap blanc sur la tête et un sac de bonbons à la main.

– Skye! Summer! crie ma sœur Coco en passant la tête par la porte. Qu'est-ce que vous fabriquez? Cherry nous attend en bas, et moi, ça fait des heures que je suis prête. Si on ne se dépêche pas, on va rater la fête. Allez, venez!

– Du calme, Coco, dit Summer en vaporisant de la laque sur ses cheveux parfaitement lissés. On a largement le temps. Ça ne commence qu'à sept heures! Je sais pas, moi, occupe-toi, va manger une pomme d'amour!

– Skye, dis-lui, toi! gémit ma petite sœur. Faut qu'elle se dépêche!

C'est dur de prendre Coco au sérieux, vu qu'elle a la figure couverte de maquillage vert, des dents noires et les cheveux coiffés en pic avec du gel fluo. Elle porte une vieille veste en tweed de Paddy, le copain de maman. Je crois qu'elle est censée être en monstre de Frankenstein.

– Encore dix minutes, je réponds. Promis, on arrive!

Coco soupire et dévale l'escalier.

Summer éclate de rire.

– Elle est hyper impatiente!

– Excitée, surtout, je réponds à ma jumelle. Nous aussi, on était comme ça, tu te souviens?

– On est encore comme ça, Skye, avoue Summer en ajustant sa robe blanche déchirée. Mais ne le dis pas à Coco! J'adore Halloween, pas toi? C'est trop cool... On a l'impression de redevenir petites!

Je souris.

– Oui, hein!

Évidemment, Summer sait très bien ce que je ressens... Elle me connaît mieux que quiconque et la plupart du temps elle pense comme moi.

En tout cas, les déguisements, on adore ça toutes les deux.

Je me penche vers le miroir, un pinceau à la main. Même si je ne suis pas aussi douée que ma jumelle pour la coiffure et le maquillage, j'adore le moment où je pose mon pinceau et où, l'espace d'une seconde, j'ai l'impression d'être face à une personne complètement différente.

La fille du miroir est pâle comme la mort. Ses grands yeux bleus sont cernés de noir, comme si elle n'avait pas dormi depuis une semaine. Ses cheveux tout emmêlés sont tressés de feuilles de lierre et de rubans de velours noir.

Tout droit venue du passé, elle semble cacher un secret. C'est le genre de fille qui pourrait vous faire croire aux fantômes.

– Génial ! je lance avec un nouveau sourire.

La fille fantôme sourit aussi.

– T'es super belle, commente Summer quand je me retourne vers elle. Tu vas peut-être te trouver un copain vampire à la fête, qui sait ?

– Non merci, j'ai une dent contre eux.

Summer éclate de rire. Au fond, on en est encore à rêver des garçons des livres, des films ou des groupes de musique. On n'a pas de copain, ni l'une ni l'autre. Moi, ça me va très bien, et je pense que c'est pareil pour Summer.

Et puis vu ceux qui fréquentent le collège d'Exmoor Park, ça ne donne pas vraiment envie. De vrais gamins, pénibles et pas du tout intéressants. Comme Tommy Anderson, le clown de la classe, qui trouve encore ça drôle de jeter ses frites sur les gens à la cantine ou de balancer des boules puantes dans le couloir.

Super.

Assise sur son lit, Summer se met du blush et du rouge à lèvres pailletés. Nos deux robes sont identiques : des jupons fabriqués avec des morceaux de tulle, de Nylon et de draps déchirés, cousus à la va-vite sur de vieux débardeurs blancs.

Sur Summer, comme d'habitude, le résultat est magnifique. À côté d'elle, je trouve que j'ai plutôt l'air d'une folle. Je ne suis pas une fille fantôme, juste une gamine dans un déguisement moins réussi que celui de sa sœur.

C'est toute l'histoire de ma vie.

Summer et moi, on est de vraies jumelles. Maman nous a montré une échographie sur laquelle on nous voit, blotties l'une contre l'autre comme des petits chats. On dirait qu'on se tient la main. L'image est grise et floue, comme la télé quand ça capte mal et qu'il y a des parasites. Pourtant, c'est une image très belle.

Summer est venue au monde la première, quatre bonnes minutes avant moi, éblouissante, curieuse et déterminée. Et j'ai suivi, toute rouge et hurlante.

On nous a baignées, séchées et enveloppées dans des couvertures assorties avant de nous déposer dans les bras de maman, et devinez quelle est la première chose qu'on a faite ? Eh oui. On s'est pris la main.

Toute notre enfance s'est passée comme ça. On était comme les deux faces d'une seule pièce.

Nous savions à quoi pensait l'autre. Nous terminions mutuellement nos phrases, nous allions partout ensemble, nous partagions nos espoirs, nos rêves, nos jouets, notre nourriture et nos copains. Nous étions deux meilleures amies. Non, c'est plus que ça. Nous étions les deux moitiés d'une même personne.

– Elles sont tellement adorables ! s'exclamaient les adultes. Je n'ai jamais rien vu d'aussi mignon !

Et Summer serrait ma main en prenant un air coquin, je l'imitais, nous éclations de rire et nous partions en courant, loin des adultes, pour rejoindre notre monde à nous.

Pendant longtemps, je n'aurais pas su dire où finissait Summer et où je commençais. Je la regardais pour savoir ce que je ressentais ; si elle souriait, je souriais aussi. Si elle pleurait, j'essuyais ses larmes, je la prenais dans mes bras et j'attendais que le chagrin qui me serrait la poitrine s'efface.

Ça peut paraître niais, mais quand elle souffrait, je souffrais aussi.

Je pensais que les choses ne changeraient jamais. Et pourtant…

Plus jeunes, on prenait toutes les deux des cours de danse classique. On était dingues de ballet. On avait des petits sacs roses, des petits chaussons roses, des chouchous roses et des livres remplis d'histoires sur la danse, plus une malle entière de tutus, d'ailes de fées et de baguettes magiques. Quand j'y repense, c'était d'abord l'aspect déguisement qui me plaisait. En réalité, j'ai mis du temps à me rendre compte que si j'aimais la danse, c'était juste parce que Summer adorait ça. Comme c'était sa passion, je croyais que c'était aussi la mienne… En fait, je n'étais qu'un miroir qui reflétait l'image de ma sœur jumelle.

J'ai fini par me lasser des examens de danse où Summer remportait les félicitations du jury alors que je passais difficilement au niveau supérieur. Et j'en ai eu marre des spectacles de fin d'année où elle tenait le premier rôle tandis que je restais cachée au milieu des autres. Elle était douée, moi non… et, petit à petit, ma confiance en moi a commencé à s'émousser. Après l'un de ces spectacles où tout le monde venait féliciter Summer, j'ai finalement trouvé le courage d'annoncer que je voulais arrêter la danse. C'était l'année où notre père est parti et où tout a changé dans nos vies. Alors une chose de plus ou de moins, je n'étais plus à ça près.

Pourtant, Summer n'a pas compris.

– Tu ne peux pas arrêter, Skye! a-t-elle protesté.

C'est parce que tu es triste à cause de papa, c'est ça ?
Tu adores la danse !

– Non, j'ai répondu. Et ça n'a rien à voir avec papa.
C'est toi qui aimes la danse, Summer. Pas moi.

Summer m'a regardée d'un air malheureux et perdu,
comme si elle ne comprenait même pas le concept
du « toi »» et du « moi ». En même temps, je venais à
peine de le découvrir de mon côté. Jusque-là, ça avait
toujours été « nous ».

Ces derniers temps, je me suis demandé si cette
histoire de danse n'a pas été le point de départ de
tout le reste. Parfois, on change un seul détail et tout
se disloque, comme l'image d'un kaléidoscope. J'ai
un peu secoué les choses entre ma sœur et moi et,
trois ans plus tard, on dirait que la poussière n'a pas
encore fini de retomber.

Je me retourne vers le miroir et, pendant une
seconde, je revois la fille fantôme avec ses cheveux
fous et son air triste, les lèvres entrouvertes comme
si elle s'apprêtait à me dire quelque chose.

Et puis elle disparaît.

2

*L*a cuisine sent le caramel et le chocolat. Maman est devant la gazinière, occupée à piquer des pommes sur des bâtons et à les tremper dans du caramel fondu pour qu'on les emporte à la fête. Paddy, lui, a préparé une ganache à la pomme d'amour.

– Goûtez-moi ça. Peut-être que je le tiens enfin, ce parfum qui va nous rendre riches et célèbres…

Même si Paddy et sa fille Cherry n'ont emménagé chez nous que cet été, ils font déjà partie de la famille. On dirait les deux pièces qui complètent le puzzle, alors qu'on ne savait même pas qu'elles manquaient. Il y a encore un gros trou là où se trouvait papa, mais on commence à prendre l'habitude, et la présence de Paddy et Cherry rend les choses plus faciles. Cherry est cool, gentille et drôle, un peu comme un mélange entre une sœur et une copine. Paddy rigole tout le temps et joue du violon, et il a transformé l'ancienne étable en atelier depuis que maman et lui ont monté une chocolaterie qui s'appelle *La Boîte de Chocolats*. L'odeur du chocolat fondu flotte en permanence autour de la maison ces temps-ci, et ça, ça ne peut qu'être bien !

Quand maman et Paddy vont se marier, au mois de juin prochain, on deviendra une vraie famille. Oui… grâce à Cherry et Paddy, la vie est plus belle.

Enfin, en général.

On se serre autour de la casserole : deux fantômes, un monstre souriant (Coco) et une sorcière (Cherry). La ganache à la pomme d'amour a exactement le goût de Halloween : un goût d'automne, sombre et sucré.

Le copain de Cherry, Shay Fletcher, est là lui aussi. Il porte un masque de loup-garou sur lequel est attachée une touffe de fourrure grise et il fait semblant de mordre Fred, le chien. Je suis un peu étonnée de le voir. Avant, il sortait avec notre grande sœur, Honey, mais quand Paddy et Cherry sont arrivés, tout a changé et il a fini par la quitter pour Cherry.

Comme quoi, les garçons compliquent toujours tout, même les gentils garçons comme Shay. S'il n'était pas tombé amoureux de Cherry, peut-être que Honey et elle auraient eu une petite chance de s'entendre. Peut-être. Ce qui est certain, c'est que l'ambiance serait nettement moins tendue à la maison.

Quand Shay et Cherry sont sortis ensemble, Honey

n'a pas du tout apprécié. Elle a passé des jours et des jours à pleurer, enfermée dans sa chambre. Lorsqu'elle en est ressortie, elle avait coupé ses magnifiques cheveux blonds avec les ciseaux de cuisine. Au lieu des longues boucles qui lui tombaient avant jusqu'à la taille, il n'y avait plus que des petites mèches qui rebiquaient tout autour de sa tête. La plupart des filles auraient ressemblé à un épouvantail avec une coupe pareille, mais pas Honey. On dirait toujours un top model, avec ses grands yeux sauvages et sa bouche sévère. J'ai dit que la vie était plus belle grâce à Paddy et Cherry, mais Honey ne serait sans doute pas d'accord avec moi.

Shay s'est tenu à l'écart de la maison pendant quelque temps, ce qui peut se comprendre. Je n'aimerais pas être à sa place ni à celle de Cherry, si Honey les surprenait ensemble.

– J'imagine que Honey est sortie ? demande Summer, qui a dû lire dans mes pensées.

– Je crois, oui, répond Cherry en ajustant son costume de sorcière, un peu nerveuse. Elle a dit que la fête de Halloween serait nulle et qu'elle avait mieux à faire…

– Peu importe, intervient Shay en haussant les épaules et en retirant son masque.

Ses cheveux blonds sont tout décoiffés et ses yeux bleu océan sourient.

– Il faudra bien qu'on l'affronte un jour ou l'autre. Ça fait deux mois maintenant. Il est temps de passer à autre chose, de tourner la page.

– Mouais, je réponds.

Je ne suis pas sûre que Honey aurait envie de passer à autre chose et de tourner la page si elle trouvait Shay Fletcher dans la cuisine. À mon avis, elle préférerait lui sauter à la gorge et l'étrangler, jusqu'à ce qu'il s'effondre par terre et meure. Après, peut-être qu'elle « passerait à autre chose » : Cherry.

Bien sûr, je garde mes commentaires pour moi et je lance :

– Hé, on est censés retrouver Millie et Tina à la salle des fêtes. Ce serait sympa de ne pas les faire attendre !

– C'est vrai, dit Coco. Allez, venez !

On prend nos vestes en discutant et en riant, mais trop tard : Honey apparaît à la porte. Les rires s'évanouissent. L'atmosphère est tellement glaciale qu'on dirait qu'il va neiger. Je vois presque des stalactites se former autour de moi.

Honey est déguisée en vampire avec une mini-robe rouge écarlate. Elle a le visage et le cou couverts de poudre et elle s'est dessiné deux points rouges à la naissance du cou, juste au-dessus de la clavicule.

Le costume lui va bien, parce que sous ses airs de petite fille modèle ma sœur est beaucoup moins douce qu'on ne croit. Après le départ de papa de la maison, elle a enchaîné les crises de larmes et de colère et les grandes démonstrations de gentillesse, histoire de nous mener à la baguette. Et puis Shay l'a plaquée et papa a annoncé qu'il avait eu une promotion et allait s'installer en Australie pour son travail. Il est parti il y a deux semaines.

Ce n'est pas comme s'il était très doué pour les anniversaires, Noël ou les week-ends. Mais la seule chose qui soit pire qu'un père nul, c'est un père nul qui vit à l'autre bout du monde. Pour ma part, je ne suis pas prête de lui pardonner.

Après, Honey a carrément arrêté de faire semblant d'être gentille. Maintenant, elle s'en fiche complètement et agresse tout le monde pour un rien.

Elle jette un coup d'œil à Shay, qui se recroqueville un peu.

– Qu'est-ce que tu fiches ici, loser?

Maman se retourne d'un bond.

– Honey! Quoi que tu penses de Shay, on ne parle pas comme ça à un invité!

Honey n'a pas l'air d'entendre. On reste tous plantés là, mal à l'aise.

– Ça va, Charlotte, répond Shay. Je suis désolé. J'ai eu tort de venir, j'ai cru qu'il était temps d'enterrer la hache de guerre…

Honey éclate de rire. Je crois que s'il y avait une

hache dans le coin, elle n'aurait aucun scrupule à s'en servir…

– Alors, finalement, tu vas à la fête, Honey ? continue maman pour essayer de changer de sujet.

– Tu rêves, grogne ma sœur. Je vais en ville avec Alex.

– Alex ?

Honey ignore la question.

Elle se tourne vers Cherry, qui porte un tee-shirt noir, une minijupe, des collants rayés et des araignées en tissu dans les cheveux. Elle s'est fabriqué un balai avec des brindilles attachées sur une branche tordue.

Honey la dévisage.

– T'étais pas censée te déguiser ? lance-t-elle méchamment – et Cherry devient toute rouge.

À cet instant, on entend une moto s'arrêter sur le gravier devant la maison et ma grande sœur sort en courant dans le noir.

– Attends une minute ! crie Paddy – mais elle lui claque la porte au nez.

La moto s'éloigne, puis c'est le silence.

– C'est qui, cet Alex ? demande maman. Et il a quel âge ?

– Il est assez vieux pour conduire une moto, répond Paddy l'air soucieux.

– Mais Honey n'a que quatorze ans ! gémit maman. C'est encore une enfant ! Et je l'ai laissée partir de nuit sur une moto, avec un garçon que je n'ai jamais rencontré !

J'essaie de la réconforter.

– Tu n'aurais pas pu l'arrêter, maman.

Honey est comme ça… impossible à arrêter. Avant, c'était la grande sœur la plus chouette du monde ; maintenant, c'est devenu une fille bizarre qu'on ne comprend plus, qui met des tonnes de mascara et de gloss, et qui enchaîne les petits copains tous plus bizarres les uns que les autres. Elle a déraillé et on ne peut rien y faire.

3

près ça, la soirée ne s'arrange pas vraiment. Millie et Tina nous attendent devant la salle des fêtes. Depuis qu'on est toutes petites, Tina est la meilleure amie de Summer, et Millie la mienne. Au premier coup d'œil, on devine que la fête est nulle, comme l'avait prédit Honey. Des bandes de gamins jouent à attraper des pommes avec leurs dents pendant que leurs mamans boivent un cocktail rouge sang à base de *cranberry*. Il y a des biscuits en forme de doigts coupés, nappés de glaçage vert, et le plateau de pommes d'amour préparé par maman; il y a aussi de chouettes lanternes creusées dans des citrouilles avec des bougies à l'intérieur. Mais tout le monde est beaucoup plus jeune que nous. Alors on s'échappe pour aller réclamer des bonbons dans le village, et on finit par remplir un faux chaudron en plastique de caramels, de cacahouètes et de bonbons gélifiés bizarres qui ressemblent à des yeux arrachés.

Peut-être que je suis trop vieille pour Halloween, finalement, parce que j'en ai marre des blagues idiotes qui ne font même pas peur, et j'ai mangé tellement de sucreries que j'ai l'impression que mes dents sont en train de fondre.

– Je m'ennuie, déclare Summer. Rentrons.

– Mais il est seulement huit heures et demie! proteste Coco. Et c'est Halloween!

– On ne peut pas rentrer si tôt, grogne Millie.

– Pourquoi est-ce qu'on n'irait pas tous à la roulotte? propose Cherry. Paddy a dit qu'il allumerait le poêle, alors on devrait avoir bien chaud, et puis j'ai du Coca... On pourrait se raconter des histoires de fantômes!

Les yeux de Coco se mettent à briller.

– Oh oui! Ça serait trop cool!

– Alors c'est parti, je conclus.

En passant devant le cimetière, Cherry s'arrête et fronce les sourcils, l'air inquiet.

– Vous avez entendu? demande-t-elle. On aurait dit... des pas de fantôme.

– Les fantômes n'ont pas de pieds! se moque Coco. Ils flottent et passent à travers les gens, qui sentent juste un frisson glacé dans leur dos!

– Il n'y a rien, Cherry, la rassure Shay.

On continue à marcher, mais quelques secondes

plus tard un zombie au regard fou et à la peau grise, couvert de lambeaux de tissu sanglants, bondit de derrière une tombe en gémissant.

Je regarde plus attentivement et je pousse un soupir exaspéré : c'est Tommy Anderson, sans doute le garçon le plus lourd d'Exmoor Park. Il est spécialiste des farces nulles. Je le connais depuis la maternelle et il ne s'arrange pas en grandissant.

– Tommy, à quoi tu joues ? demande Summer. J'ai failli faire une crise cardiaque ! Tout va bien, Cherry. Il n'est pas méchant. Je te présente l'idiot du village.

– Hé ! proteste Tommy. C'était pour rire…

– Pour rire, il faut que ça soit drôle, le coupe Summer.

Elle prend Cherry par le bras et s'éloigne, Millie, Tina, Shay et Coco sur les talons. Tommy reste planté à côté de moi, tête basse.

– Vous allez où ? demande-t-il. Et la fête ?

– On en revient, c'était pas terrible. On rentre à la maison pour se raconter des histoires qui font peur.

Tommy s'illumine.

– J'en connais plein ! Des super sanglantes. Je peux venir ?

J'hésite. Summer le trouve vraiment pénible, et moi, je ne le supporte qu'à très petites doses. Mais ce serait franchement méchant de refuser.

– Euh… hum…

Tommy est déjà en route.

– J'adore les histoires flippantes. Avec des vampires, des zombies, des tueurs à la hache… trop fort.

Je lève les yeux au ciel et finis par suivre Tommy et les autres hors du village, le long du chemin qui monte à Tanglewood. Les arbres centenaires se penchent en chuchotant au-dessus des haies, et une chouette pousse un cri effrayant avant de passer au-dessus de nos têtes dans un grand battement d'ailes blanches.

– Un fantôme! s'écrie Coco, tout excitée.

– C'est une chouette, je réponds. Un fantôme… n'importe quoi! Comme si ça existait!

– Bah si, peut-être que ça existe. C'est Halloween! J'ai lu dans un livre que cette nuit-là le voile qui sépare le monde des vivants et celui des morts se soulève un peu…

– Ouh-ouh-ouh! hurle Tommy.

Il continue à faire le pitre jusqu'à l'allée de gravier de la maison, puis sur le chemin de la roulotte.

Quand Cherry est venue vivre avec nous, elle a d'abord partagé la chambre de Honey. Ça a tenu à peu près cinq minutes, parce que Honey a toujours eu du mal avec elle, même avant que ça tourne à la catastrophe à cause de Shay. Du coup, Cherry s'est très vite installée dans la roulotte au milieu des arbres. C'est une authentique caravane de Gitans, très bien restaurée. Pourtant, je crois que Cherry préférerait dormir avec nous dans la maison. Il n'y a plus de chambre disponible, parce qu'elles sont toutes utilisées pour le *bed and breakfast*, mais Paddy a promis de vider le grenier pour que Cherry puisse y emménager avant Noël.

Les uns après les autres, on s'entasse dans la petite chambre autour du poêle à bois qui ronronne. On dirait qu'on tente de battre le record du nombre de personnes qui peuvent tenir dans un endroit aussi petit, mais c'est plutôt marrant. Cherry nous sert du Coca dans des gobelets et le faux chaudron de bonbons circule, histoire d'éviter que notre taux de sucre redescende à un niveau normal.

Les histoires commencent. Tommy en raconte une vraiment horrible sur un cavalier sans tête, Shay parle des contrebandiers morts qui, paraît-il, hanteraient la côte, et Cherry enchaîne avec un très beau conte japonais, peut-être inspiré de sa mère, qui est morte quand elle était toute petite.

— Est-ce qu'il existe des histoires sur Tanglewood House ? demande Shay.

— Bien sûr, répond Summer. Mamie Kate nous en racontait souvent...

— Quel genre d'histoires ? s'enquiert Cherry.

— Cette maison appartient à la famille depuis des générations, j'explique. Et Mamie Kate connaissait des tas de légendes à son sujet. Il y en avait une qui faisait un peu peur...

– Oh, celle sur Clara ! s'exclame Coco. Je l'adore, elle est trop triste !

Tommy fait la grimace.

– Vous n'avez pas plutôt des histoires gore ?

– Arrête, Tommy, râle Summer. C'est une histoire romantique à propos d'une fille tombée amoureuse du mauvais garçon...

Cherry jette un coup d'œil à Shay : du point de vue de Honey, elle aussi a choisi le «mauvais» garçon.

– Clara Travers vivait ici, à Tanglewood, dans les années vingt, commence Summer. C'était une tante ou une cousine de Mamie Kate. Elle avait dix-sept ans et était fiancée à un homme plus vieux qu'elle, qui possédait une grande maison à Londres...

Summer s'arrête et je poursuis à sa place.

– Le fiancé de Clara était riche, et ses parents se réjouissaient de ce mariage. Mais elle ne l'aimait pas vraiment. Elle tomba amoureuse d'un Gitan, un des Tsiganes qui campaient parfois dans les champs près de Tanglewood. Ils comptaient s'enfuir ensemble, mais les parents de Clara découvrirent leur projet. Furieux, son père chassa les Gitans et leur ordonna de ne jamais revenir.

Cherry se mord les lèvres.

– C'est tellement triste !

– Attends, c'est pas fini, souffle Coco. Dis-lui, Skye ! Je prends une grande inspiration.

– Quand Clara vit que les Tsiganes étaient partis, elle eut le cœur brisé. La veille de son mariage, elle laissa ses vêtements bien pliés sur la plage et nagea vers le large. On ne la revit jamais.

– On dit que son fantôme erre encore dans les bois, déclare Coco. Elle pleure et cherche son amour perdu… Enfin, c'est ce que disait Mamie Kate !

– Oh ! s'écrie Millie. Ça fiche la trouille !

– C'est une histoire triste, j'ajoute en haussant les épaules. Mais une chose est sûre, il n'y a pas de fantôme… Ça fait des années qu'on le cherche, et on ne l'a jamais trouvé.

– Mais ça ne veut rien dire, insiste Coco. Clara Travers est peut-être là, à nous écouter…

Le silence s'installe, et tout à coup on entend les feuilles bruisser au-dessus de nos têtes, puis une chouette qui ulule. Ça doit être lié à tout ce sucre que j'ai mangé, mais mon cœur bat à cent à l'heure.

– Bouh ! hurle Tommy – et le charme est rompu.

Tout le monde recommence à parler, trop vite, trop fort. Tina envoie un texto à sa mère, qui vient bientôt les chercher, Millie et elle. Shay et Tommy en profitent pour se faire déposer chez eux. Et Coco, Summer, Cherry et moi, on retourne vers la maison et on déboule en riant dans la cuisine chaude et bien éclairée.

Notre arrivée surprend Paddy et maman, qui lèvent les yeux vers nous, le visage couvert de poussière. Des tas de cartons s'amoncèlent dans un coin, à côté d'une pyramide d'objets que je n'avais jamais vus. Une cage à oiseau en fer forgé bleu ciel, très délicate, est posée sur un des cartons. Sur la table de la cuisine trône une vieille malle en pin au couvercle arrondi, ouverte sur un fouillis de papier de soie et de tissu, et sur ce qui ressemble à un étui à violon en cuir tout cabossé.

– C'est quoi tout ça ? je demande.

Les battements de mon cœur s'accélèrent de nouveau et j'ai la bouche sèche.

Paddy retire une toile d'araignée de ses cheveux.

– On s'est dit que c'était le moment de commencer à vider le grenier pour la chambre de Cherry. On a rempli le minivan de choses à jeter et on a traîné des cartons jusqu'à l'atelier en attendant de les trier, et puis on est tombés sur cette malle tout au fond...

Soudain, la cuisine devient bien silencieuse. Deux filles fantômes, une sorcière et un monstre vert se pressent autour du coffre. Sous le papier de soie, mes doigts effleurent du velours duveteux et de la dentelle amidonnée.

– Ça a l'air super vieux, je murmure.

Maman sort une liasse de lettres nouées par un ruban.

— C'est très vieux, oui. Les filles, je ne sais pas si vous vous souvenez de cette histoire que vous racontait votre grand-mère… vous savez, une histoire triste à propos d'une certaine Clara Travers ? Si j'en crois ces lettres, tout cela a dû lui appartenir…

Je frissonne.

Il y a dix minutes à peine, pelotonnés dans la roulotte, on se racontait une vieille histoire de fantôme sur une fille appelée Clara. Et voilà que ses affaires apparaissent devant nous, dans la lumière réconfortante de la cuisine. Des lettres, un violon, du velours – comme autant d'échos d'un passé que nous ne pouvons qu'imaginer, et d'une vie pleine de promesses qui a pris fin brutalement au fond de l'océan noir et glacé.

À côté de ça, la farce de Tommy dans le cimetière, c'était de la rigolade. Pour la première fois de la soirée, il se passe quelque chose de vraiment effrayant.

e lendemain, Summer a cours de danse après l'école, et Coco, Cherry et moi nous installons dans la cuisine pour faire nos devoirs pendant que maman prépare des muffins à la guimauve. La guimauve, ça a toujours été mon parfum préféré, même si Summer n'aime pas trop ça.

— C'est un peu triste, explique-t-elle chaque fois en plissant le nez. C'est fade. Sucré, mais sans intérêt.

J'ai toujours eu l'horrible impression qu'à ses yeux le fait d'aimer ça me rendait triste, fade et sans intérêt.

Moi, je ne suis pas d'accord : la guimauve est tout sauf fade. C'est doux, léger et mousseux, comme un petit morceau de paradis.

Mes yeux se posent sur la vieille malle en pin restée dans un coin de la pièce et, comme la veille, un frisson me passe dans le dos. Je ne sais pas vraiment si c'est de la peur ou de l'excitation.

– Maman ? je demande alors qu'elle dispose les muffins sur une grille pour qu'ils refroidissent. Je voulais savoir… qu'est-ce que tu comptes faire du coffre que vous avez sorti du grenier ?

Maman fronce les sourcils.

– Eh bien, je ne sais pas… Toutes ces vieilleries pourraient sans doute intéresser un antiquaire. Et un peu d'argent nous serait bien utile. Noël approche à grands pas.

– Non ! je proteste. Ne les vends pas !

Sans pouvoir l'expliquer, je trouve cette idée choquante.

Maman a l'air contrariée.

– Mais on n'a pas la place de tout garder : Paddy va vider le grenier, alors à part stocker les cartons dans l'atelier… Enfin, Summer a déjà pris la cage au petit déjeuner. Elle compte y mettre une plante. Est-ce que l'une d'entre vous voudrait récupérer autre chose avant qu'on se débarrasse de tout ça ?

– Moi ! s'écrie Coco. Le violon ! J'en ai toujours voulu un, et Paddy a dit qu'il me donnerait des cours si j'avais de quoi m'entraîner.

– Est-ce vraiment une bonne idée ? l'interroge maman. Coco, tu es douée pour beaucoup de choses, mais je ne suis pas convaincue que la musique soit ton point fort ! Tu te souviens quand tu as essayé d'apprendre la flûte à bec pour le concert de Noël ?

Tu devais avoir sept ou huit ans…

Moi, je m'en souviens. Coco nous a rendus dingues, jusqu'au jour où la flûte a mystérieusement disparu. «Quel dommage, a commenté Honey à l'époque en ébouriffant les cheveux de notre petite sœur. On dirait qu'elle s'est envolée!»

À mon avis, elle avait fini son vol à la poubelle, et Honey y était sans doute pour quelque chose. Mais tout le monde était soulagé. Coco avait remplacé la flûte par un triangle, et même avec ça, elle avait galéré.

– Ce sera différent, insiste-t-elle. Paddy m'aidera. Pour de vrai. S'il te plaît!

– Bon, peut-être, hésite maman en léchant une goutte de glaçage à la vanille restée sur son doigt et en décorant les muffins de mini-Chamallows grillés.

Coco se jette sur la malle pour récupérer l'étui cabossé. Elle l'ouvre, pose le violon brillant sur son épaule et passe l'archet sur les cordes. On dirait que quelqu'un est en train d'égorger un chat.

– Aïe, lance Coco. C'est plus dur que je croyais…

Maman nous tend l'assiette de muffins encore chauds. J'en attrape un avec gourmandise et je mords dans la guimauve fondue.

– Et toi, Cherry? continue maman. Il y a quelque chose qui te ferait plaisir?

– Pas vraiment. C'est génial, mais… un peu trop effrayant pour moi.

– OK, Skye, alors puisque tu ne veux pas que je vende la malle, qu'est-ce que tu voudrais garder ? Il y a des robes… peut-être qu'elles t'intéressent ?

J'ouvre de grands yeux.

– Non, tu veux dire ces robes-là ? Je peux vraiment les avoir ?

– Pourquoi pas ? répond maman. Tu adores les vieux vêtements, pas vrai ? Je pense que Clara aurait été heureuse de te les donner.

Une demi-heure plus tard, la malle est près de mon lit, dans la chambre que je partage avec Summer. Je soulève le couvercle et j'écarte doucement le papier de soie chiffonné. L'espace d'un instant, j'ai l'impression de sentir une légère odeur de guimauve, un mélange de vanille chaude et de sucre. Puis elle disparaît, remplacée par l'odeur triste et poussiéreuse du temps passé. Est-ce que ça venait de la cuisine et des muffins de maman, ou d'un reste de parfum oublié depuis longtemps ? Enfin, je ne suis pas sûre qu'un parfum puisse tenir autant d'années. Ça doit être mon imagination.

La nuit dernière, perturbée par l'idée que cette malle avait appartenu à Clara, je n'ai même pas regardé ce qu'elle contenait précisément… alors que c'est un véritable trésor.

Elle est remplie de robes en velours aussi belles que des pierres précieuses, de jupons de dentelle blanche, de chaussures en cuir fripé à petits talons, de chapeaux de paille, de chapeaux cloche et de gants blancs en daim très doux. Il y a aussi un bandeau à plume, des bracelets en argent noircis par le temps, une pochette brodée de perles et enfin, bien plié dans le fond, un manteau soyeux couleur émeraude doublé de satin vert.

J'enfile le manteau et le boutonne jusqu'en haut en le faisant voltiger autour de moi. Il est incroyablement doux, chaud, et a l'air de n'avoir presque pas été porté. C'est mille fois mieux que tout ce que je peux trouver dans les friperies. Les vêtements de ce coffre sont en parfait état, comme si on les y avait rangés hier et non pas quatre-vingt-dix ans plus tôt.

Un par un, j'essaie les jupons de coton blanc et les robes en velours… bleu nuit, vert mousse, rouge écarlate. Clara Travers devait être petite et mince, parce que ses affaires sont juste à ma taille. Je ne ressemble pas du tout à une petite fille déguisée en adulte, au contraire. Récemment, j'ai lu un livre sur les années vingt, les disques de jazz et les danseuses de charleston. J'enfonce un chapeau cloche sur ma tête et je me souris dans le miroir, en cherchant à apercevoir le reflet d'une fille qui a vécu il y a bien longtemps.

D'après ses tenues, je suis presque sûre que Clara Travers aimait le charleston, qu'elle écoutait du jazz et que les jeunes hommes faisaient la queue pour danser avec elle quand elle portait ses jolies robes colorées et son bandeau à plume. On devine qu'elle aimait faire la fête. Dans ses vêtements, je commence à me sentir un peu comme elle... courageuse, belle et adulte.

Et puis je repense à l'histoire de Mamie Kate : Clara était fiancée à un homme beaucoup plus vieux qu'elle. Mon sourire disparaît.

Qui était Clara Travers ? je me demande. Une jeune fille riche avec une malle de robes en velours, des poignées de bracelets et des rêves plein la tête ? Elle avait dix-sept ans, c'est-à-dire trois ans de plus que Honey. Ça paraît bien trop jeune pour se retrouver enchaînée à un homme qu'elle n'aimait pas. Quand j'essaie d'imaginer Honey en couple avec un vieux de trente ou quarante ans, ça me fait froid dans le dos. Clara a dû avoir l'impression que sa vie était finie.

Est-ce qu'il y avait quand même un peu d'amour entre eux, ou est-ce qu'il s'agissait juste d'une question d'argent, de sécurité et de convenances ? Est-ce que le mariage avait été arrangé par les parents de Clara ? Et comment une fille comme elle avait-elle pu tomber amoureuse d'un Gitan, au point de ne pas vouloir vivre sans lui ?

La porte de la chambre s'ouvre et Summer entre, les cheveux encore attachés en chignon, son sac de danse à la main.

– Maman dit qu'on mange dans dix minutes, annonce-t-elle avant de s'arrêter net en me voyant.

Tout à coup, je n'ai plus l'impression d'être une belle jeune fille des années vingt, mais plutôt une gamine prise la main dans le sac.

– Qu'est-ce que c'est que ça, Skye ? Pourquoi tu portes ces vieux vêtements horribles ?

Comme un peu plus tôt lorsque maman a parlé de vendre les affaires de Clara, je ne peux pas m'empêcher de protester.

– Ils ne sont pas horribles, juste vieux.

Mes yeux se posent sur la cage à oiseau bleue en métal torsadé, posée dans le coin près du lit de Summer.

– C'est comme ta cage. C'est vintage !

– C'est pas pareil. La cage, d'accord, mais ça ne te fait pas bizarre, de porter les vêtements de Clara ? Enfin… elle est morte, quand même ! Ça craint.

J'éclate de rire.

– Mais j'adore les fringues vintage ! Je porte tout le temps des vieux trucs.

Summer grimace.

– Oui, mais là, c'est différent. Clara Travers s'est suicidée. S'il te plaît, Skye, enlève ça. Ça ne me plaît pas.

Je retire le chapeau cloche, et au passage j'aperçois mon reflet dans le miroir. Je lis sur mon visage un air de défi qui ne me ressemble pas. Je cligne des yeux et la vision disparaît. Le miroir ne montre plus qu'une fille souriante aux cheveux blonds bouclés, vêtue d'une vieille robe charleston rouge.

J'enlève la robe et la replie soigneusement avant de la ranger dans la malle. Mais je garde le jupon de coton blanc que j'avais mis en dessous et les bracelets. J'enfile un pull et tourbillonne devant le miroir.

Alors que le résultat est plutôt joli, Summer paraît toujours perturbée.

– Quoi ? je lance en essayant de la faire rire. Tu as peur que Clara vienne me hanter ? Allez, arrête un peu !

– Non, bien sûr que non. Mais… je ne sais pas, peut-être que la légende est vraie, peut-être que son esprit traîne encore près de Tanglewood ? À la recherche de son amant perdu… C'est vrai, quoi ! tu ne trouves pas ça étrange ? Hier, on parle de Clara Travers, et, cinq minutes après, on tombe sur ses affaires dans la maison alors qu'elles avaient disparu depuis un siècle ? Le soir de Halloween, en plus !

– Hé, du calme, je souffle. La malle n'avait pas disparu, elle était dans le grenier pendant tout ce temps. C'est juste une coïncidence, que Paddy ait décidé de le vider ce jour-là. Ça ne veut rien dire, Summer !

Elle soupire.

– Je ne sais pas. Je n'aime pas ça, c'est tout…

Je me contente de hausser les épaules. La surprise

passée, je ne vois vraiment pas ce qu'il y a d'effrayant dans cette histoire.

Comme je l'ai dit, je ne crois pas aux fantômes…

e sors en refermant la porte derrière moi avec pré-caution; sous mes pieds, l'herbe est couverte de pâquerettes et l'air embaume la guimauve. Je porte une robe en velours bleu et des jolies chaussures à bride boutonnée. Des bracelets en argent, neufs et brillants, tintent à mes poignets.

Je me faufile par le petit portail surplombé de branches de mauve et je cours jusqu'aux bois. Des rayons de soleil dessinent des taches de lumière au milieu des feuilles vert tendre.

Je marche entre les arbres, mon cœur battant la chamade, le ventre noué par l'excitation. Et puis je sens une odeur de fumée. À travers les branches des noisetiers, j'aperçois quatre roulottes rassemblées dans une clairière.

Une bouilloire noircie est suspendue au-dessus d'un feu de bois; un peu plus loin, une demi-douzaine de chevaux trapus tachetés de noir et de blanc est en train de brou-ter. Deux petites filles vêtues de robes déchirées jouent à cache-cache entre les arbres pendant que deux hommes aux cheveux sombres déplacent des casseroles à côté du feu.

Il y a un craquement de brindilles juste derrière moi. Un chien maigre au poil hirsute qui ressemble à un vieux balai s'approche et fourre son museau dans ma main. Je le caresse, lui gratte les oreilles, puis je me retourne lentement. Soudain, mon cœur fait un bond dans ma poitrine et je rougis.

Je n'ai jamais vu le garçon qui s'avance vers moi entre les arbres, et pourtant j'ai l'impression de le connaître depuis toujours. Il est grand et bronzé, avec des cheveux bruns qui lui tombent sur le visage et des yeux si bleus que j'en ai le souffle coupé. Il est à peine plus âgé que moi, cependant, il porte des vêtements étranges : une chemise blanche sans col dont il a remonté les manches, un gilet râpé et un pantalon en toile couleur fougère. Un foulard rouge est noué autour de son cou.

À cet instant, un petit oiseau à la queue en éventail s'envole d'une branche dans un tourbillon de plumes rouges et brunes.

Finn, je pense. Le garçon s'appelle Finn.

– Salut, lance-t-il avec un grand sourire.

Il prend ma main et la serre.

Je m'assieds dans mon lit et écarte mes cheveux de mon visage, haletante. Pendant un moment, je ne sais plus où je suis, puis je reconnais dans la lumière du petit matin la chambre que je partage avec Summer. Je me rappelle avoir essayé les vêtements de Clara hier soir, avant le dîner, et en avoir parlé avec ma sœur. Je me souviens que Summer, Cherry et Coco ont choisi un DVD et se sont installées sur les canapés pour le regarder. Moi, je me sentais fatiguée, alors je suis montée me coucher.

– Je viens de faire le rêve le plus bizarre de ma vie, je dis à voix haute.

– Hein ? marmonne Summer sous sa couette. Quel rêve ?

– Ça paraissait tellement réel, je continue en secouant la tête. Comme si je le vivais vraiment. Sauf que ce n'était pas moi, enfin, je crois. Tout le reste était confus et mélangé… je ne sais pas. C'était vraiment bizarre.

Summer ne répond pas et me regarde avec des yeux endormis, l'air soucieux.

C'est alors que je m'aperçois que je porte encore le jupon de coton blanc qui a appartenu à Clara Travers…

6

Je n'en ai pas dit davantage à Summer au sujet de mon rêve, même si j'y pense encore sur le chemin du collège. La journée commence par un cours d'histoire. Mr Merlin vient d'arriver à Exmoor Park et tout le monde le prend pour un cinglé. Il porte des vestes en tweed avec des empièce-ments aux coudes et des pantalons en velours beige ou jaune moutarde. Et il sent toujours un peu le pain grillé. Il paraîtrait plus à sa place à Poudlard ou dans un vieux film en costumes. Pas étonnant que Tommy Anderson adore l'embêter.

Moi, je trouve ça cool, l'histoire. J'ai toujours adoré comprendre comment le passé façonne le présent et l'avenir. Quand j'avais dix ans, j'ai gagné une récompense pour un exposé sur l'Égypte. J'avais fait une démonstration de momification devant la classe avec une Barbie et des kilomètres de papier toilette.

« Trop fort, Skye », avait déclaré Tommy.

À mon avis, il avait surtout aimé la partie où j'expliquais comment les Égyptiens sortaient le cerveau des morts par les narines à l'aide d'un crochet. Les garçons adorent les trucs dégoûtants dans ce genre.

Je crois que je préfère quand même les histoires comme celle de Clara Travers, avec des amours impossibles et des vêtements magnifiques. Pourtant, même si j'adore l'histoire, j'ai encore quelques doutes sur Mr Merlin. Il me fait un peu pitié.

Aujourd'hui, il arrive en retard. Tommy lui a préparé une farce. Lorsque le nouveau professeur entre dans la classe, la corbeille à papier perchée sur le dessus de la porte se renverse sur lui.

Il nous regarde à travers ses lunettes en écaille.

– Amusant, lance-t-il. Vous savez quoi, mes chers élèves ? Même si l'histoire est une succession d'événements inattendus, on peut en tirer des leçons. Ils nous apprennent à prévoir l'imprévisible…

Mr Merlin tire brusquement sa chaise de sous son bureau, comme s'il s'attendait à découvrir un coussin péteur ou une punaise. Rien. Il vérifie sous le bureau, remue les papiers posés dessus, puis scrute le tableau en quête d'autres pièges.

– Vous voyez ? L'histoire nous apprend à nous attendre au pire !

Pas tant que ça, hélas. Mr Merlin a oublié un point-clé de la leçon : l'histoire a tendance à se répéter.

Je ne peux rester là sans réagir.

– Monsieur ! j'appelle en levant la main.

Mr Merlin se contente de sourire et me demande de patienter une seconde.

Il ouvre la porte du placard pour y prendre nos cahiers, et c'est là que le sac de Tommy, posé en équilibre dessus depuis le début, s'écrase sur sa tête en faisant dégringoler ses lunettes.

Toute la classe explose de rire. Les élèves en tombent presque de leurs chaises.

– L'histoire ne vous a pas appris à prévoir ça, monsieur ! s'exclame Tommy.

Le visage de Mr Merlin prend une drôle de couleur rouge foncé. Il ramasse le sac, qui pèse une tonne parce que Tommy l'avait rempli à craquer de livres de cours. La main du professeur tremble un peu, tout comme sa voix.

– Tommy Anderson, ce sac est à toi ?

– Oui, monsieur ! répond Tommy. Je me demande bien comment il est arrivé là !

Ce qui arrive ensuite est un peu la faute de Tommy, qui a vraiment dépassé les bornes. C'est aussi un peu la faute de Mr Merlin, qui a perdu son sang-froid et surtout n'a pas pris le temps de remettre ses lunettes. On pourrait même considérer que c'est un peu celle de Mr King, le directeur, qui a eu le malheur de se trouver au mauvais endroit au mauvais moment.

C'est comme ça que fonctionne l'histoire. C'est un enchaînement de causes et de conséquences, saupoudré d'une bonne dose de hasard.

Mr Merlin jette de toutes ses forces le sac en direction de Tommy. Mais il le rate complètement et le sac traverse la fenêtre, qui se brise en mille morceaux. À l'extérieur, on entend un crissement de freins suivi d'un cri de colère.

– Bon sang, mais qu'est-ce qui se passe ici ? rugit une voix que nous connaissons bien.

Il y avait pourtant peu de chances que le directeur soit en train de garer sa voiture juste en dessous à ce moment précis. Avec les autres élèves assis près de la fenêtre, j'ai assisté à toute la scène : le sac a rebondi sur le toit de la Skoda Fabia toute neuve de Mr King, avant de tomber par terre en arrachant un rétroviseur au passage.

– Ouah ! s'écrie Tommy. Joli coup, monsieur !

Mr Merlin s'affale sur sa chaise et se prend la tête entre les mains. Cette fois, plus personne ne rit.

– Tommy, je souffle. Tu as vu ce que tu as fait ?

– Mais j'ai rien fait, moi ! répond-il avec un air innocent. C'est pas moi qui ai cassé la vitre !

– Tommy ! Ce n'est pas drôle. Il pourrait perdre son travail. Fais quelque chose, sinon…

– Sinon tu crains, commente sèchement Summer depuis sa place.

Un moment plus tard, la porte s'ouvre à la volée et Mr King entre, le sac de Tommy à la main. Il est rouge de colère.

Le professeur d'histoire se lève, tout raide, et passe la main dans ses cheveux. Mais Tommy prend la parole.

– C'est moi, monsieur, déclare-t-il d'une voix calme. Je faisais l'andouille et Mr Merlin m'a dit d'arrêter et… c'était un accident, monsieur. C'est moi le coupable.

Il baisse la tête et, pour la première fois de ma vie, je ressens une pointe de compassion pour lui.

– Dans mon bureau, tout de suite, ordonne Mr King. Je vais envoyer le concierge ramasser le verre brisé. Mr Merlin, emmenez votre classe à la bibliothèque le temps que tout soit nettoyé.

La porte se referme ; Mr Merlin se tient devant nous, encore sous le choc.

– Est-ce que… quelqu'un est blessé ? demande-t-il.

– Non, monsieur.

– C'est déjà ça. Bon… comme vous le voyez, l'histoire se construit en permanence autour de nous. Certains événements marquent les esprits et les mémoires pour toujours, et j'ai comme l'impression que nous venons d'assister à l'un d'entre eux.

– Ça, c'est clair, murmure Millie à côté de moi.

– Parfois, pourtant, on a du mal à garder une vue

d'ensemble, continue Mr Merlin en fronçant les sour-cils. L'histoire n'est pas toujours aussi simple qu'elle en a l'air et on a souvent tendance à mal l'interpréter. Il est important de rassembler tous les éléments pour bien comprendre.

Je n'en crois pas mes oreilles. Voilà que Mr Merlin, le vieux prof un peu ringard, se met à parler comme un sage. Ce qu'il vient de dire me fait penser à Clara Travers. Peut-être que je devrais me renseigner sur elle et chercher des indices pour reconstituer son his-toire. Mon rêve semble toujours aussi réel dans mon esprit, comme si j'avais remonté le temps et aperçu le monde à travers ses yeux pendant un moment. Rien que d'y penser, mon cœur bat plus vite. Est-ce que ça veut dire que je n'ai pas vraiment rêvé et que j'étais possédée ?

Je secoue la tête pour chasser cette idée.

– Je ferais bien d'aller rectifier les choses, soupire Mr Merlin. Même si l'histoire est pleine de héros, je ne peux pas laisser Tommy se dénoncer à ma place. Allez à la bibliothèque. Je vais expliquer ce qui s'est passé au directeur.

Décidément, on ne s'ennuie jamais avec l'histoire, ou alors pas longtemps.

Il n'est pas aussi nul que je le croyais, commente Summer tandis que nous montons dans le car pour rentrer à Kitnor.

– Qui ça, Mr Merlin ? Ou Tommy ?

Summer lève les yeux au ciel.

– Mr Merlin, bien sûr. Tommy, c'est vraiment un cas désespéré.

En même temps, on ne peut pas vraiment en vouloir à Tommy d'être un peu dérangé, quand on connaît sa famille. Ses parents sont de vieux hippies qui tiennent le magasin bio du village, se baladent en tee-shirt délavé et sentent le patchouli, parfum qui m'a toujours rappelé l'odeur de la litière pour chat. Ses deux petites sœurs portent des pulls tricotés main et des jupes à grelots qui tintent quand elles marchent. J'imagine que Tommy essaie de se démarquer, et ça peut se comprendre.

Je me dis qu'il a peut-être une chance de devenir

normal un jour. Même s'il s'agit d'une minuscule chance.

Mais je change aussitôt d'avis, parce qu'au moment où je m'assieds dans le car il se précipite vers moi et s'installe sur le siège que je gardais pour Millie.

– Merlin a été génial, là-bas, m'annonce-t-il. Mr King s'apprêtait à appeler mes parents… J'aurais pu être renvoyé. Mais Merlin s'est pointé et j'ai presque rien eu, je suis juste collé pendant une semaine à l'heure du déjeuner. Il est sympa finalement, même si je préfère largement marquer l'histoire qu'en parler dans mes devoirs…

Ses cheveux bruns pleins de gel partent dans tous les sens, comme s'il venait de traverser un ouragan. Pour le moment, ça m'étonnerait qu'il marque l'histoire par son charme, sa beauté ou son style.

Millie monte dans le car et tente de récupérer sa place en lui donnant des coups de sac, mais il refuse de bouger. Apparemment, il compte rester là pour de bon.

– Millie, Millie, soupire-t-il en secouant la tête. Tu es adorable, mais Skye et moi, on aimerait bien avoir un peu d'intimité. On a des choses à se dire.

– T'es vraiment pas bien, réplique ma copine en s'asseyant de l'autre côté de l'allée centrale.

Le car démarre et je me retrouve coincée avec le type le plus pénible de ma classe. Génial.

– À quoi tu joues, Tommy ? Je ne ferai pas tes devoirs d'histoire à ta place, si c'est ça que tu veux.

– Pas du tout ! proteste-t-il en levant les mains. Même si je suis sûr que ça te plairait, vu ta passion pour les vieux trucs. Avec toutes ces fringues bizarres que tu portes…

Il montre mon écharpe rayée du doigt et jette un coup d'œil à ma veste bleu marine et au béret assorti. Bon, c'est vrai que je dois être la seule dans le car à porter ce genre de trucs. C'est vrai aussi que j'ai trouvé la veste dans une friperie, et que je la mets avec l'écharpe et le béret parce que j'ai vu les mêmes dans un vieux livre sur les pensionnats. Je reconnais qu'il ne doit pas y avoir beaucoup d'élèves qui portent un uniforme pour le plaisir.

Mais qu'est-ce que j'y peux si j'ai au moins cinquante ans de retard ? Je suis passionnée par l'histoire de la mode, c'est comme ça.

– Enfin bref, continue Tommy, j'ai besoin de tes conseils. Sérieusement.

Il baisse la voix et regarde autour de lui.

– Je suis amoureux. Est-ce qu'on peut se retrouver au Chapelier fou samedi pour en parler ?

Mon cœur fait un bond dans ma poitrine. Rien à voir avec de la joie : c'est plutôt un mélange de gêne et de «non, pitié, pas ça!».

Je repense à Halloween, quand Tommy est apparu

dans le cimetière comme s'il nous attendait. Et au fait qu'il a brusquement arrêté de faire le pitre et s'est dénoncé à Mr King juste après m'avoir entendue râler tout à l'heure. Je commence vraiment à me sentir mal.

– Non!... je m'écrie, horrifiée. Enfin, je suis très, euh, flattée, bien sûr. Mais... ce n'est pas réciproque, Tommy. Vraiment pas!

Il n'a pas l'air de comprendre.

– Flattée? Hein? De quoi tu parles?

– De toi, je lui explique patiemment. Et de moi.

Tommy explose soudain de rire, à tel point que je me demande s'il ne va pas s'étouffer.

– Mais, Skye, ce n'est pas de toi que je suis amoureux!

Je suis partagée entre un immense soulagement et une légère humiliation à l'idée que ce soit si inconcevable d'être amoureux de moi.

Tommy s'en rend compte.

– Ça ne veut pas dire que tu plairais à personne, hein. C'est simplement que nous deux, on est juste copains. Mais t'es pas moche, ni rien.

– Merci, je grogne. Je prends ça comme un compliment.

– Évidemment. Bref, j'ai besoin de tes conseils, et on ne peut pas parler tranquillement dans ce car, alors je me suis dit qu'on pourrait se voir samedi.

– Je suis prise.

C'est vrai : on organise un feu de joie sur la plage, et il est hors de question que j'invite Tommy.

Quand j'étais petite, on allumait toujours un grand feu dans le jardin le 5 novembre, parce que c'est jour de fête au Royaume-Uni. On s'habillait chaudement, on mettait des bonnets et des écharpes et on mangeait des saucisses et de la purée dans des assiettes en métal. On écrivait nos noms dans le ciel avec des cierges magiques et papa râlait et s'énervait en essayant d'allumer les fusées et les feux d'artifice qu'il avait achetés à Londres.

Et puis papa est parti, et tout a changé. Ces dernières années, on est allées voir le feu d'artifice de Kitnor. C'est sympa aussi, mais moins que les fêtes dans le jardin.

Cette année maman et Paddy ont décidé d'organiser à nouveau une soirée eux-mêmes, mais sur la plage. Une «nouvelle tradition» pour aller avec notre nouvelle vie.

– Alors… dimanche? insiste Tommy.

– J'ai des devoirs. Désolée.

– Et le samedi d'après?

Je soupire. Il ne renoncera pas, et à vrai dire quelques leçons de bonnes manières ne lui feraient pas de mal. Pas seulement pour plaire aux filles, d'ailleurs.

– Je vais y réfléchir.

Sans prévenir, Tommy me prend dans ses bras.

Il sent le déodorant Axe et la soupe de la cantine. Pas terrible comme mélange, si vous voulez mon avis. Par-dessus son épaule, j'aperçois Summer, Millie et Tina qui prennent un air dégoûté et font semblant de vomir.

– Tommy! Lâche-moi!

Il s'écarte aussitôt.

– OK, OK, t'excite pas. On est juste amis, je te rappelle. Mon cœur appartient à une autre.

Et, réflexion faite, c'est beaucoup mieux comme ça.

Plus tard, à la maison, Summer travaille ses pliés et ses pirouettes dans la chambre pendant que je me fais les ongles avec un vieux vernis qu'elle vient de me donner. Il est rouge nacré et s'appelle Soleil levant. Ce n'est pas vraiment mon style, mais je ne pouvais pas refuser.

– Tu lui plais, tu sais. À Tommy Anderson, déclare Summer en tendant ses pointes de pieds. Pas de chance!

Je lui lance mon oreiller et elle le rattrape juste avant qu'il s'écrase sur la cage à oiseau, qui est maintenant accrochée au plafond près de la fenêtre. Elle a mis une petite plante grimpante à l'intérieur, dont les feuilles s'enroulent autour du fer forgé et retombent tout autour. C'est très joli. Mais là, la cage se balance un peu fort.

– Attention, grosse brute! dit Summer en me renvoyant mon oreiller.

Je prends le dissolvant et un coton à démaquiller.

– Tu as tout abîmé mon vernis, c'est malin.

– C'est pas ma faute si tu as des pulsions violentes. Mais tu as raison, il faut que tes ongles soient parfaits pour séduire Tommy!

– T'es méchante. Je ne veux pas séduire Tommy et, crois-moi, je ne lui plais pas. Il me demandait conseil parce qu'il craque sur quelqu'un d'autre.

– Ah ouais? Et moi, je suis la reine d'Angleterre. Ne l'encourage pas, Skye. Les garçons n'apportent que des problèmes. Moi, je préfère largement la danse.

– Je ne l'encourage pas. C'est le garçon le moins romantique que je connaisse.

– Les histoires d'amour, c'est nul, me prévient Summer, la main appuyée sur le rebord de la fenêtre pour faire ses enchaînements de barre. Ça finit toujours en tragédie. Regarde Roméo et Juliette, ou Shay et Honey… ou papa et maman…

Je secoue la main en attendant que mes ongles sèchent.

– Et maman et Paddy alors? Il y a des histoires d'amour qui finissent bien. Ils se marient en juin!

– Il faut bien une ou deux exceptions. Paddy est pas mal, c'est vrai. Mais la plupart du temps ça se termine dans les larmes. Comme ta Clara flippante et son Gitan, là…

Je repense au garçon aux yeux bleus et au foulard rouge, à sa main bronzée qui tient la mienne, et mon cœur s'accélère. Je chasse l'image de mon esprit.

– Ce n'est pas «ma» Clara, et elle n'est pas flippante! Elle fait juste partie de nos ancêtres. C'est l'histoire de la famille, Summer, et c'est tellement triste. Elle devait beaucoup l'aimer, ce garçon, pour tout risquer comme ça.

– Et lui, il l'a laissé tomber, conclut Summer. Normal, c'était un mec.

Le samedi suivant, l'hiver arrive brutalement. Pendant que Summer est à son cours de danse et que Honey se terre dans sa chambre, Coco, Cherry et moi aidons maman à servir le petit déjeuner et à faire le ménage des chambres. Puis on descend toutes à la plage, où Paddy est en train de préparer le feu de joie.

Glacées par le vent qui souffle de l'océan, nous cherchons des morceaux de bois autour de nous. Des branches blanchies par les vagues sont échouées ici et là ; nous les traînons sur le sable tandis que Fred court dans tous les sens en aboyant et en secouant la queue.

Paddy construit une pyramide de bois et Coco, Cherry et moi accrochons des lanternes le long du chemin qui descend du jardin, pour que personne ne tombe ce soir quand il fera nuit.

— Est-ce que Shay sera là ? demande Coco. Parce

que dans ce cas Honey ne viendra pas, alors que maman a insisté et qu'elle a fini par dire oui...

– Je lui ai demandé de rester chez lui, répond Cherry. Je ne veux surtout pas que Honey se sente exclue du feu de joie de la famille.

– Peut-être qu'elle ne viendra pas de toute façon, j'interviens. Tu sais bien comment elle est en ce moment. On dirait qu'elle n'a plus envie de faire partie de la famille, justement.

– C'est ma faute, dit Cherry d'un air triste.

– Seulement un peu. Tu n'avais pas vraiment prévu de tomber amoureuse de Shay, si ? Et lui, il ne s'attendait pas à craquer sur toi. Et, comme dit maman, Cupidon a parfois du mal à viser. Mais si Shay et Honey s'étaient bien entendus, tout ça ne serait pas arrivé.

Cherry hausse les épaules.

– Sans doute. Mais je ne peux pas m'empêcher d'y penser. Cet été, quand on est arrivés, papa et moi, Honey m'a accusée d'essayer de prendre sa place. Ce n'était pas du tout le cas, mais... elle doit se dire que j'ai bien réussi mon coup, maintenant.

J'accroche la dernière lanterne sur la rambarde.

– Écoute, c'est vrai que Honey est en rogne à cause de Shay. Mais il n'y a pas que ça. Elle a encore du mal à accepter Paddy, et surtout, elle ne digère pas le départ de papa pour l'Australie...

– Nous non plus, dit Coco. Tu savais qu'il faut toute une journée d'avion pour y aller ? C'est nul.

– Oui, c'est sûr. Mais il y a aussi de bons côtés. On pourra lui rendre visite quand on sera grandes. Pour passer un an à l'étranger.

– Tu crois qu'il sera d'accord ?

– Évidemment ! je m'exclame, alors que je n'en suis pas du tout persuadée.

C'est mon père et je l'aime, mais il faut bien reconnaître qu'il n'a jamais été à la hauteur. Même quand on était petites, il était tout le temps à Londres en train de travailler. Quand il a fini par quitter la maison, j'ai eu l'impression qu'il avait fait son choix : sa carrière passait avant nous. Ça m'a rendue triste. Il n'y a que Honey pour refuser d'admettre que c'est un père minable. On dirait qu'au lieu de lui en vouloir, elle cherche à passer sa colère sur le reste du monde. Et Paddy et Cherry sont des cibles faciles.

Soudain, Summer nous rejoint en courant, hors d'haleine et le sourire aux lèvres.

– Devinez quoi ? lance-t-elle. Après le Nouvel An, je vais pouvoir commencer les cours de pointes ! Miss Elise a dit que je me débrouillais vraiment très bien et que mes pieds étaient assez forts. Elle pense que je suis prête. Et je n'aurai pas à m'inquiéter pour l'examen du mois de juin, parce qu'elle va me faire sauter une classe et entrer directement au niveau supérieur. Elle trouve que j'ai énormément de potentiel !

– C'est génial, Summer ! je m'écrie. Youhou !

– Fantastique, renchérissent Coco et Cherry.

Danser avec de vraies pointes, c'est le rêve de Summer. C'était le mien aussi, avant que je comprenne que j'avais deux pieds gauches. Miss Elise, qui dirige l'école de danse de Minehead et trouve que Summer a « énormément de potentiel », m'a dit un jour que je dansais comme un hippopotame de *Fantasia*. Sympa.

– Je vais enfin pouvoir demander des pointes à Noël ! ajoute Summer, les yeux brillants.

– Super ! Miss Elise doit être vraiment contente de toi pour te proposer de sauter une classe. C'est cool !

– Trop cool, oui. Même si ça me fait un peu peur. Il n'y a pas beaucoup de filles dans cette classe, et elles sont toutes plus vieilles que moi. Et si jamais c'était trop dur ?

– Depuis quand est-ce que la danse c'est trop dur pour toi ? Ma sœur la super star !

Plus tard ce soir-là, alors que nous nous préparons pour la fête, Summer pose sa brosse à cheveux et pousse un grand soupir.

– Skye ? demande-t-elle d'une petite voix. Tu as déjà voulu quelque chose tellement fort que tu osais à peine en rêver ?

Je fronce les sourcils. Ce n'est vraiment pas son genre, de parler comme ça.

– Sauter une classe, ce n'est pas rien. Ça me stresse. Tout se passe trop bien, j'ai presque l'impression que… je ne sais pas, que ça ne va pas durer. Qu'au moindre faux pas tout va s'écrouler…

J'admire tellement ma jumelle pour ses talents de danseuse, et pour tout le reste d'ailleurs, que je n'ai jamais pris le temps de réfléchir à ce qu'elle pouvait ressentir.

Même si ses doutes ne vont sûrement pas durer longtemps… Je sais mieux que personne à quel point elle est déterminée, travailleuse et passionnée par ce qu'elle fait… Elle s'en sortira.

– Rien ne va s'écrouler. Miss Elise ne te l'aurait pas proposé si elle ne t'en sentait pas capable. Tu es une de ses meilleures élèves, Summer !

Elle n'a pas l'air convaincue, mais très vite son visage s'illumine. Elle rit et passe la brosse dans ses cheveux brillants, sûre d'elle, confiante et rassurée.

– C'est juste que j'ai encore du mal à y croire. Tout ce dont j'ai rêvé est en train de se réaliser !

– Tu as le droit d'y croire, je réponds en lissant mon jupon en coton blanc. Un jour, tu seras danseuse étoile, et moi, je deviendrai archéologue ou quelque chose comme ça, et on sera riches et célèbres !

– C'est sûr ! dit Summer en riant.

J'enfile un des bracelets en argent de Clara et je sors le manteau vert émeraude de la vieille malle, d'où s'échappe de nouveau un léger parfum de guimauve, qui s'évanouit aussitôt.

Le sourire de ma sœur s'efface.

– Tu ne vas quand même pas mettre cet affreux manteau, hein ? Parce que je comprends plus ou moins l'intérêt des jupons et des bracelets, mais ça, ça fait juste vieux et moche ! Et ça me fiche la trouille.

Dire qu'il y a à peine une minute je me sentais si proche d'elle… Parfois, j'ai l'impression que c'est toujours à moi de la soutenir, jamais l'inverse. Pourquoi est-ce qu'elle n'arrive pas à comprendre qu'il y a des choses qui comptent pour moi aussi ?

– Il est d'époque. Et très chaud. Et je ne vois pas comment un manteau peut te ficher la trouille.

– Je ne l'aime pas.

– Moi, si.

Je tourne sur moi-même et les pans de tissu se soulèvent un peu, révélant la doublure en satin et un bout du jupon.

Clara Travers a porté ce manteau. Est-ce qu'elle le mettait pour se promener avec son fiancé, ou pour aller au théâtre, à l'opéra, au ballet ? Ou est-ce qu'elle s'enveloppait dedans lors des froides nuits d'hiver pour courir dans les bois vers la lumière d'un feu de camp, une odeur de fumée et la chaleur d'une main dans la sienne ? Pendant un instant, je suis de retour dans mon rêve, au coin du feu, et je contemple des yeux bleus à couper le souffle…

Mon imagination me joue des tours.

– Skye, s'il te plaît, insiste Summer – et sa voix me ramène à la réalité. Je ne sais pas pourquoi, mais je n'aime pas ce manteau, tu comprends ?

Son visage est inquiet et troublé. Alors, pour la calmer, je retire le manteau vert, je le suspends sur la tringle de l'armoire et j'enfile une petite veste à la place.

Summer hoche la tête, satisfaite. Elle attrape une écharpe à franges dans ses affaires et l'enroule autour de mon cou en laissant pendre les extrémités dans mon dos.

– Parfait. D'ailleurs, je te la donne. Je ne m'en sers plus.

Bien que l'écharpe ne me plaise pas vraiment, je remercie Summer en lui disant que je l'adore. C'est vrai ; mais sur elle, pas sur moi.

Elle me sourit. Pourtant, c'est à un tout autre sourire que je pense, celui d'un garçon aux cheveux bruns en broussaille…

Plus tard, je regrette de ne pas avoir pris le manteau malgré tout, parce qu'il fait un froid glacial sur la plage. Je me rapproche du feu crépitant qui projette des étincelles vers le ciel de velours noir.

Paddy est en train de boire une bière tout en remuant les braises rouges pour y déposer des pommes de terre enveloppées dans du papier aluminium. Maman nous sert de la soupe brûlante dans des tasses en métal. Cherry, Coco et Summer sont assises près du feu, le visage éclairé par les flammes. Honey se tient à l'écart, accroupie sur la dernière marche de l'escalier de la falaise, son ombre triste se détachant dans la lueur douce des lanternes.

Je vais m'asseoir à côté d'elle.

– Je ne pensais pas que tu viendrais, je lui dis.

– Moi non plus, soupire-t-elle. Mais maman a tellement insisté, avec ses grands discours sur la famille et sur Paddy et Cherry qui méritent qu'on leur donne une chance... Elle ne comprendra jamais, hein ?

— Je pense que si. Elle sait que c'est très difficile pour toi. On le sait toutes. Mais elle a raison, Honey : tu fais partie de cette famille, même si ces derniers temps on dirait que tu n'en as plus envie. Tu me manques !

Honey éclate de rire.

— Toi aussi, tu me manques, petite sœur ! Je parie que tu ne sais même pas à quel point tu es cool, jolie et drôle, pas vrai ? Mais tu as tort, je veux faire partie de cette famille... enfin, je voulais... C'est juste que c'est devenu impossible à cause de maman, Paddy et Cherry. Ils m'ont éjectée, remplacée. Tu ne t'en rends pas compte ?

— Personne ne pourra jamais te remplacer ! je m'écrie.

Je suis sincère : Honey a toujours été la plus intelligente, la plus courageuse et la plus belle de nous toutes. Elle est impulsive, impatiente, théâtrale et beaucoup trop sensible... et c'est pour ça qu'on l'aime. Mais papa est parti, ensuite Paddy et Cherry sont arrivés et toutes ses qualités ont tourné au vinaigre.

— Si, Cherry m'a remplacée. Elle m'a pris Shay, puis maman, et maintenant Summer, Coco et toi... Elle vous a tous eus, hein ? Elle cache bien son jeu...

— C'est faux. Je sais qu'elle t'a blessée, mais ce n'était pas son intention, et si tu apprenais à la connaître...

– On peut dire qu'elle vous a bien embobinés.
Pauvre petite Cherry qui n'a pas de maman, pas de
sœur et pas de copain… Elle vous faisait pitié, c'est
ça ? Sauf que pendant ce temps-là elle en a profité
pour s'installer et s'approprier tout ce qu'elle voulait !

Honey regarde en direction du feu, où Summer,
Cherry et Coco rient, discutent et boivent de la soupe.
Je vois ma nouvelle demi-sœur qui commence à avoir
confiance en elle et à se sentir intégrée ; Honey, elle,
ne voit qu'une tricheuse, une menteuse et une voleuse.

Je ne suis pas sûre de réussir à lui prouver qu'elle se
trompe.

Honey a les yeux pleins de larmes et elle finit par
se mettre à pleurer. Mais quand j'essaie de la serrer
dans mes bras, elle se dégage brutalement, se lève et
monte en courant le sentier pour regagner la maison.

Je dois mal m'y prendre.

Summer me rejoint.

– Qu'est-ce que tu as dit à Honey ? Elle pleurait !
Pourquoi est-ce que tu l'as mise dans cet état ?

– C'est pas moi… j'ai juste… je voulais lui dire qu'on
a besoin d'elle. Et que si elle essayait de donner une
chance à Cherry…

Summer fait la moue.

– Bravo. Tu te souviens de ce qui s'est passé la dernière fois qu'elle a accepté de lui en donner une ?
Cherry lui a piqué son copain !

– Ça ne s'est pas passé comme ça !

– Non, sans doute. Mais c'est ce que Honey a dû ressentir. Et depuis le début tu prends le parti de Cherry.

J'ouvre la bouche, et la referme sans rien dire, choquée. Summer et moi ne nous chamaillons jamais. On se soutient toujours, quoi qu'il arrive. Enfin, c'était comme ça avant nos discussions ridicules à propos des robes et du manteau vert de Clara.

– Je ne prends le parti de personne !

– À mon avis, ce n'est pas son impression.

– Arrête. S'il te plaît, Summer. Je voudrais que tout le monde s'entende bien. C'est ce que j'ai expliqué à Honey.

Ma jumelle soupire.

– Ne t'inquiète pas, Skye. Je ne te fais aucun reproche, je me demande juste ce que ressent Honey. Oublie ce que j'ai dit.

Elle me donne un petit coup de coude pour tenter de m'arracher un sourire. Mais je ne suis pas d'humeur, pas plus que je ne suis capable d'oublier ses paroles.

– Allez, Skye, je ne voulais pas te vexer !

Elle passe un bras autour de mes épaules et me ramène près du feu. Mes inquiétudes s'évanouissent peu à peu. Paddy joue un air doux et lancinant sur son violon, tandis que Coco, Cherry et moi piquons des Chamallows sur de longs bâtons pour les mettre à griller sur le feu. Ils deviennent collants, noirs et brûlants, avec un parfum de souvenirs.

Le regard plongé dans les flammes, j'imagine un garçon au sourire charmeur et aux yeux bleus, un garçon qui s'appelle Finn. Je ferme les yeux pour essayer de retourner dans mon rêve. En ce moment, les rêves me paraissent beaucoup plus simples que la vraie vie.

On allume des cierges magiques et Summer écrit «Tommy» dans le ciel pour m'embêter. Je barre ce nom et, quand personne ne regarde, j'écris «Finn».

Puis Paddy s'occupe des feux d'artifice, qui partent comme des fusées et explosent avec un bruit sourd en projetant des gerbes d'étincelles dans tous les sens. Je contemple les cascades argentées qui retombent doucement et j'essaie de chasser l'impression horrible que ma famille est en train de se disloquer. Alors que je ne me dispute jamais avec personne, je viens presque de me fâcher avec ma sœur jumelle...

Il faut dire que Summer a eu une grosse journée, avec tous ces changements dans ses cours de danse. Peut-être qu'elle est un peu susceptible à cause de ça... Millie dit qu'à notre âge on est pleines d'hormones qui peuvent nous rendre grincheuses, tristes ou nous donner envie de pleurer sans raison.

Ce qui vient de se passer entre Summer et moi, ça ne veut rien dire, si?

10

*F*inn m'attend près du portail, au milieu des branches
de mauve qui lui arrivent à la taille, couvertes de
fleurs rose foncé aux pétales ciselés. Il en cueille
trois ou quatre, les met dans mes cheveux et me prend par
la main pour m'emmener dans les bois.

Un éclair orangé apparaît entre les arbres et on entend
des chants et des rires. Au centre du cercle de roulottes, je
vois défiler une ribambelle de volants, de jupons blancs et
de bas colorés. Ce sont les femmes qui dansent près du feu.
Un homme joue du violon, un autre tire des sons entraî-
nants de son accordéon.

Nous regardons les danseuses un moment en tapant du
pied et en frappant des mains en rythme, entourés de fumée
et d'étincelles. Soudain, Finn m'entraîne au cœur de la
foule et j'oublie que je n'ai jamais appris les pas et que je
déteste danser. Je le suis, car je le suivrais partout, même
au bout du monde. Nous rions et tourbillonnons dans la
lueur du feu : une fille avec des fleurs dans les cheveux et

un garçon aux yeux rieurs. À la fin, nous avons le souffle court, la tête qui tourne et le cœur qui bat, et pas seulement parce que nous avons trop dansé.

Je me réveille, entortillée dans ma couette, les bracelets en argent pressés contre ma joue. Les rideaux laissent passer une lumière pâle et hivernale. Assise à sa coiffeuse, Summer se tresse les cheveux pour son cours.

– Tu as raté les danses, hier soir, je marmonne, encore endormie. Autour du feu.

– Les danses ? Quelles danses ?

J'ai du mal à rassembler mes idées.

– Pas sur la plage, plus tard… dans les bois. Tu te souviens ?

– De quoi est-ce que tu parles, Skye ? On est restés un peu sur la plage après le feu d'artifice, et puis on est rentrés se coucher… Personne n'a dansé.

Je m'assieds dans mon lit en frissonnant et je porte la main à mes cheveux, là où devraient se trouver les fleurs de mauve. Rien. Encore un rêve… comme la dernière fois, avec ce Finn aux boucles brunes soulignées par un foulard rouge éclatant. Et des roulottes de Gitans, de la musique, des danses et des fleurs rose foncé, alors qu'on est en novembre.

Ça semblait si réel.

La peur m'envahit et mes yeux se remplissent de

larmes. Je me suis endormie sans enlever les brace-lets de Clara, et encore une fois j'ai plongé dans son histoire… En tout cas, c'est l'impression que ça me donne.

J'adore l'histoire, mais là, c'est un peu trop. La vie de Clara m'a si profondément marquée que mon esprit me joue des tours.

– Skye ? demande Summer. Ça va ?

Je fronce les sourcils.

– Bien sûr… je me souviens. J'ai dû rêver…

Summer me regarde avec de grands yeux.

– Mais, Skye, tu pleures !

Elle s'approche, me prend dans ses bras et essuie mes larmes.

Pourquoi est-ce que je pleure ? Pour une fille qui s'appelait Clara Travers et dont l'histoire d'amour a pris fin au fond de l'océan ? Ou pour ce Finn qui fait battre mon cœur alors que je crois bien qu'il a vécu il y a presque un siècle ?

C'est vraiment trop bizarre.

– Tu as fait un cauchemar ? me demande ma sœur.

– Non… oui… je ne sais pas ! je souffle. Je… je crois que j'ai rêvé de Clara et des Gitans.

Summer a l'air inquiète.

– Clara ? Pas étonnant que tu sois bouleversée, Skye ! Il faut que tu arrêtes avec ça. C'est juste une histoire de fantômes idiote, d'accord ?

J'acquiesce alors que je n'en crois pas un mot. Et que je ne suis pas certaine de pouvoir arrêter.

– Tu comprends maintenant pourquoi je veux que tu jettes ces vieux vêtements ? C'est flippant, de te voir porter les affaires de Clara ! Et si ça te fait faire des cauchemars, ça n'en vaut vraiment pas la peine.

Elle retire les bracelets de mon poignet et les met dans la poubelle, avant de s'assurer que le couvercle est bien fermé.

– D'accord ? insiste-t-elle. Débarrasse-toi de ces vêtements. Promis ? Et plus de cauchemars !

– Oui... promis...

– Summer ! appelle maman depuis le rez-de-chaussée. Tu es prête ? On va être en retard !

Ma jumelle attrape son sac de danse.

– Désolée, Skye. Il faut que j'y aille. Je vais passer les auditions pour le spectacle de Noël.

– OK, bonne chance alors.

Elle me sourit et disparaît.

Je passe la main dans mes cheveux. Il est près de onze heures, trop tard pour aider à servir le petit déjeuner des clients. Mais tout à l'heure, quand maman rentrera, je lui donnerai un coup de main pour faire les chambres. Pour le moment, je peux laisser libre cours à mes pensées.

Je sais déjà que je ne pourrai pas tenir la promesse faite à Summer.

Je n'ai pas envie d'oublier l'histoire de Clara. Elle me fait peur et me fascine en même temps. Je voudrais juste comprendre. On dirait que mes songes m'entraînent vers les années vingt, vers une époque où les Gitans campaient encore dans les bois, vers un autre monde – qui me semble pourtant bien réel. Et je m'y sens chez moi.

Je regarde par la fenêtre, suivant des yeux le mur de pierre qui sépare notre jardin de la forêt. Tout au bout, j'aperçois le petit portail de mon rêve, mais le temps a écaillé la peinture et il n'y a plus aucune fleur de mauve sur les buissons noircis par les premiers gels. Je connais le nom de ces fleurs, parce que maman en cueille à la fin de l'été pour décorer les salades.

« À l'origine, la mauve est une herbe médicinale, m'a-t-elle expliqué un jour. On l'utilisait autrefois pour fabriquer la guimauve. Bien que ce ne soit pas vrai pour toutes les espèces, certaines fleurs sont comestibles. Et c'est si joli sur une salade ou un gâteau... »

J'avais aimé l'idée que ma friandise préférée tire son nom d'une fleur.

Dans mon rêve, Finn a mis des fleurs de mauve dans mes cheveux... Est-ce que ça veut dire que Clara les aimait aussi ?

Je ne crois pas aux fantômes, aux chaînes, aux hurlements dans la nuit et aux spectres au visage blafard qui traversent les murs. Mais si on pouvait être hanté d'une façon beaucoup plus douce et moins effrayante ?

Du bout des doigts, je caresse la dentelle blanche d'un des jupons de Clara. Pendant près d'un siècle, il est resté plié au fond d'une malle dans un coin du grenier, jusqu'à ce que Paddy le retrouve. S'agit-il d'une coïncidence ? Est-ce vraiment un hasard que la malle soit parvenue jusqu'à moi, qui adore les vieux vêtements et les vieilles histoires ? J'avais beau en être persuadée au début, les rêves commencent à me faire douter.

J'ouvre la malle en bois et j'examine les robes en velours, les chapeaux cloche puis la pochette brodée de perles, en quête d'un indice. Je ne trouve rien d'inquiétant ou de sinistre, rien qui puisse me faire penser que le coffre renferme des secrets ou des mystères. Aucune force obscure ne m'attire vers le passé, je ne sens pas de courant d'air glacé ; tout ce que je vois, c'est une collection de vieilles robes et une pochette ravissante, aussi parfaite que si elle avait été fabriquée la semaine dernière.

Puis je tombe sur la liasse de lettres nouées par un ruban. Pourquoi n'y ai-je pas songé plus tôt ? Elles contiennent peut-être des réponses à mes questions. Je les pose sur mon bureau, au milieu d'un fatras de livres, de magazines, de stylos et de boîtes de peinture. Il faudra que je les lise.

Je retourne ensuite à la malle, et j'ouvre la pochette. Je retiens mon souffle. À l'intérieur, je découvre un rouge à lèvres, un poudrier au couvercle décoré de papillons et un minuscule flacon carré qui contient encore quelques gouttes de parfum. Je dévisse le bouchon et respire une odeur de guimauve sucrée, un peu plus légère et fraîche que celle des bonbons. De la guimauve. Est-ce que c'était aussi le parfum préféré de Clara ? Mais, très vite, l'odeur tourne et devient lourde et écœurante.

Le parfum supporte sans doute mal les années. Je passe au poudrier. Le miroir est piqué par le temps, mais, juste au-dessous, on distingue encore le message gravé dans l'argent :

Pour ma belle Clara, Harry qui t'aime.

Harry. D'après Mamie Kate, c'était le fiancé de Clara. Combien de fois s'est-elle regardée dans ce petit miroir pour se repoudrer ou se mettre du rouge à lèvres ? Chaque fois, elle devait lire ce message. Est-ce que cela faisait battre son cœur, au début ? Ou se sentait-elle coupable car elle savait qu'elle n'aimait pas Harry ?

Je referme le poudrier.

Il reste encore quelque chose au fond de la pochette, à moitié caché dans les plis de la doublure en satin.

Ma paume se referme sur l'objet comme sur un talisman : c'est un médaillon en argent en forme de cœur, noirci mais toujours magnifique. Je passe mes doigts sur le métal délicatement ciselé.

Il s'ouvre du premier coup. Je découvre une petite photographie sépia d'un homme en tenue de soirée de l'époque, au regard sérieux et à la moustache bien taillée.

Harry a plus l'air d'un vieil oncle sévère que du garçon dont pourrait être amoureuse une jeune fille de dix-sept ans. Et il n'a rien à voir avec le Gitan aux cheveux bruns de mon rêve.

11

Summer rentre de son audition le sourire aux lèvres : non seulement on lui a confié l'un des principaux rôles du spectacle de Noël, mais elle sera aussi en charge d'un groupe de danseuses plus jeunes.

– D'habitude, c'est réservé aux filles plus expérimentées, m'explique-t-elle, les yeux brillants. C'est vraiment un honneur qu'on me le propose, même si, bien sûr, ça veut dire que je vais devoir apprendre encore plus de chorégraphies. Il ne reste que six semaines avant le spectacle. Ça va venir vite !

– Qu'est-ce que je te disais ? Tu es une super star !

– Tu parles. Pas encore, en tout cas !

Nous évitons toutes les deux le sujet de Clara, ce qui n'est pas plus mal, car Summer devine très vite quand je lui mens. Elle ne mettrait pas longtemps à sentir que je n'ai pas l'intention de tenir ma promesse.

Pour le moment, je préfère garder ça pour moi.

Les rêves occupent mon cœur et mon esprit en secret, et je ne suis pas encore prête à y renoncer.

Les jours suivants, au collège, j'ai l'impression de jouer à cache-cache avec Tommy. Alors que je sais, moi, qu'il craque sur une fille mystérieuse, tout le monde semble persuadé qu'il s'agit de moi. Et on n'arrête pas de me taquiner à ce sujet, ce dont je me passerais bien.

– Il t'aime, c'est clair, soupire Millie. Tu devrais sortir avec lui, Skye. Il n'est pas si moche et tu risques de ne pas avoir d'autres occasions avant un moment…

Quand votre meilleure amie vous dit ça, c'est mauvais signe.

On est à la cantine. Tommy, assis à une table pas très loin, jongle avec des clémentines et jette des frites sur ses copains. Nous, on se cache derrière un pilier en espérant qu'il ne nous verra pas. Enfin, moi, c'est ce que je fais.

– Il ne me plaît pas, Millie, j'explique patiemment.

– On s'en fiche que ça soit pas le coup de foudre. Tu vas avoir treize ans en février, et reconnais que tu n'as jamais eu de copain…

– Toi non plus !

– Je sais. Ça me déprime. Moi, je sortirais direct avec Tommy s'il me le demandait.

– Sérieux ? La semaine dernière, dans le bus, tu faisais semblant de vomir dans son dos !

Millie balaie mon commentaire d'un revers de la main.

– Il n'y a que les imbéciles qui ne changent pas d'avis. Il faut être réaliste. J'y ai bien réfléchi et je trouve qu'il serait pas mal comme premier copain.

– Premier copain ? Tu te fiches de moi, hein ? Tu as vu sa coupe de cheveux ? On dirait un fou sorti de l'asile, et il n'arrête pas de sauter dans tous les sens comme un chiot surexcité. Il n'est pas méchant, mais il n'a aucune manière et c'est un peu fatigant.

– Tu ne comprends rien. Moi non plus, il ne me plaît pas. Mais ce n'est pas le problème. Ça reste un garçon, il n'est pas complètement repoussant, et il est grand temps qu'on commence à se chercher un copain, Skye, sinon on risque de rater notre chance. On va finir vieilles filles, toutes ratatinées et périmées.

– On dirait que tu parles de deux pruneaux moisis.

– C'est ce qui nous attend si on ne prend pas les choses en main. Il faut qu'on sorte, qu'on ait des rendez-vous. Sans ça, comment veux-tu qu'on sache quoi faire quand le garçon de nos rêves se présentera ?

Je ne réponds pas. Le garçon de mes rêves occupe déjà le plus clair de mes pensées, mais il y a peu de chances que je tombe sur lui dans les rues de Kitnor.

Je ne sais rien de lui pour le moment, à part qu'il s'agit peut-être d'une vision du Gitan de Clara, et dans ce cas j'aurais du mal à le rencontrer, à moins de me lancer dans des séances de spiritisme ou des voyages dans le temps. Car, si incroyable que cela puisse paraître, on dirait que je revis en rêve l'histoire de Clara. Je voulais me plonger dans ses lettres pour essayer d'y voir un peu plus clair, mais quand je les ai cherchées, elles n'étaient plus sur mon bureau.

Il faudra que je les retrouve.

– Je ne veux pas de petit copain, je déclare fermement. Et surtout pas Tommy Anderson.

– Tu es amoureuse de lui, lance Summer en piquant les raisins de ma salade de fruits. Arrête de nier.

Tina se laisse tomber sur une chaise à côté de Millie, m'adresse un clin d'œil et envoie un baiser à Tommy. Heureusement, il est trop occupé à faire le clown pour la voir.

– T'es pas drôle, je râle.

– Toi, si, dit Summer en riant. C'est trop facile de te faire marcher! Détends-toi, on sait bien que Tommy ne t'intéresse pas. Il n'intéresse personne.

– Je crois qu'il a quand même des qualités, insiste Millie, pensive.

– Il a surtout de la confiture plein la figure, commente Tina.

Tommy est en train d'essayer d'engloutir toute sa

part de gâteau en une seule fois. Je soupire. S'il a des qualités, elles sont bien cachées.

Quand il se rend compte qu'on le regarde, il devient tout rouge, s'essuie le visage, se rassied sagement et finit son gâteau. Je sais que ce n'est pas de moi qu'il est amoureux, mais peut-être que c'est de Millie ou de Tina ? Enfin, pas Millie, vu qu'il n'a pas été très sympa avec elle dans le bus. Ou alors c'était une façon de cacher ses sentiments.

Finalement, je comprends qu'il m'ait demandé de l'aide… C'est vrai qu'il en aurait bien besoin. Il faudrait lui dire de se calmer sur le gel et le déodorant Axe, et lui expliquer qu'on ne fourre pas tout son dessert dans sa bouche si on ne veut pas ressembler à un hamster déjanté barbouillé de confiture de fraises. Je pourrais m'en charger.

Ce serait une bonne action, comme de ramasser les détritus au bord de la route ou de tricoter des couvertures pour les victimes de tremblements de terre ou de vendre des gâteaux pour la défense des espèces en voie de disparition.

– En tout cas, c'est clair, toi, tu lui plais, souffle Summer.

Je fais comme si je m'en fichais, malgré mes joues que je sens rosir.

– Pas du tout, tu peux me croire. Peut-être qu'il est amoureux de l'une de vous.

– Oh! s'écrie Millie. Tu crois?

– Berk, grogne Tina.

– Du moment que ce n'est pas de moi, dit Summer. Je ne comprends pas pourquoi vous vous souciez autant des garçons. D'accord, il y en a un ou deux qui ne sont pas trop bêtes dans la classe, mais Tommy n'en fait pas partie. Et puis le romantisme, ça va cinq minutes. Moi, je préfère me concentrer sur ma carrière de danseuse... à moins, bien sûr, que je ne rencontre Rudolf Noureev.

– Ça ne risque pas d'arriver, répond Millie, vu qu'il est mort. Et homo. En plus, franchement, les hommes en collants...

– Tu n'y connais rien, déclare ma sœur, vexée, avant de se diriger vers le présentoir à salades.

– Je croyais que c'était toi la dingue d'histoire, me dit Tina. Craquer sur un type mort depuis presque vingt ans, ça serait plutôt ton genre!

Je ne peux pas m'empêcher de sourire, car Tina a raison. Après tout, j'ai bien l'impression d'être en train de tomber amoureuse d'un garçon qui est peut-être mort depuis des années... voire qui n'a jamais existé. Dans un cas comme dans l'autre, c'est un peu bizarre.

Mais peu importe. Même si Finn n'est pas réel, il est mille fois mieux que tous les élèves d'Exmoor Park, et beaucoup plus beau aussi.

Quand Tommy finit par m'aborder après le cours d'histoire, je n'ai pas le courage de lutter. Je repense à son visage couvert de confiture à la cantine et à sa cravate de travers et, finalement, j'accepte de le voir ce week-end, pour discuter «en privé».

– Je paierai les milk-shakes, promet-il, l'air ravi.

– Si ça vaut pour des chocolats chauds, c'est d'accord.

– Vendu!

12

Voilà comment, le samedi suivant, je me retrouve assise en face de Tommy Anderson au Chapelier fou, à plonger ma cuillère dans un chocolat onctueux couvert de crème fouettée et de mini-Chamallows. Il a choisi la table près de la fenêtre, un peu trop voyante à mon goût, alors j'enfonce mon chapeau cloche sur ma tête et j'essaie de ne pas y penser.

– Bon, Skye, j'ai besoin de toi, commence Tommy. Tu es une fille, alors tu vas pouvoir me dire ce qui ne va pas chez moi. J'ai un plan et je voudrais que tu m'aides à le réaliser. En fait… je voudrais que les filles me trouvent irrésistible.

Je manque de m'étrangler avec mon chocolat chaud, et je me mets à tousser d'une façon pas très élégante.

Tommy devient tout rouge.

– Quoi ? demande-t-il, un peu vexé. Qu'est-ce qu'il y a de drôle ?

– Rien, rien, je le rassure. Je ne riais pas. J'ai juste avalé de travers…

– Mouais. Tu vois, c'est ça mon problème. Je craque depuis très longtemps sur une fille qui me prend pour un idiot, et j'en ai marre. Je voudrais en apprendre un peu plus sur ce qui plaît aux filles. Je n'en fréquente pas beaucoup, à part mes petites sœurs. Pour moi, les filles restent très mystérieuses. Alors, comme on est amis depuis toujours, je me suis dit que tu étais la mieux placée pour me filer un coup de main.

Amis depuis toujours ? Je ne vois pas tout à fait les choses comme ça, même si je me souviens vaguement qu'il est venu à notre dernière fête d'anniversaire, à Summer et à moi, quand nous avons eu neuf ans. L'année où papa est parti. Tommy avait mangé toutes les saucisses, une bonne partie du gâteau et au moins cinq ou six muffins, et ensuite il avait tout vomi dans les toilettes. Il nous avait offert un paquet de Mi-Cho-Ko chacune, mais il avait sans doute eu faim en cours de route, parce que le mien était à moitié vide.

Tommy sort un calepin et un crayon et me regarde, les yeux pleins d'attente.

– Tu vas prendre des notes ? Sérieux ?

– C'est très sérieux. Comme je t'ai dit, je suis amoureux d'une fille. Ça fait un moment déjà, mais elle me prend pour un imbécile.

Ça doit être Tina. Je ne suis pas sûre que le pauvre Tommy ait la moindre chance avec elle.

– Est-ce que tu as une idée de ce qui cloche chez moi ? Qu'est-ce que tu me conseilles ?

Je soupire.

– OK. Alors les cheveux, pour commencer. Laisse tomber le gel. Tu ressembles à un fou.

– Mais… j'ai vu ça dans un magazine de mode ! proteste-t-il. Je passe une demi-heure tous les matins à me coiffer !

– Justement, tu n'as pas vraiment l'air coiffé. On dirait que tu as ébouriffé tes cheveux dans tous les sens avant de te battre avec un tube de gel et une bombe de laque. Crois-moi, c'est pas terrible. Arrête de t'embêter, dors une demi-heure de plus, et essaie un look plus naturel.

– OK, dit-il en écrivant sur son calepin. Autre chose ?

– Il faut que tu apprennes un peu les bonnes manières. Par exemple, l'autre jour, à la cantine, quand tu as englouti ton gâteau… c'était horrible. Mange plus lentement, et arrête de jouer avec la nourriture !

Tommy sourit.

– Ça, c'est facile.

– Et arrête de faire le pitre en cours. C'est important, sinon tu passes pour un gamin. Tu as treize ans. Les farces, c'est plus de ton âge.

Tommy écarquille les yeux.

– Mais... ça fait rire tout le monde ! C'est mon rôle, je suis le clown de la classe !

– Tu ne préfères pas être le tombeur de la classe ?

Il hésite.

– Pense à ce qui se passera si tu te calmes un peu. Tu seras collé moins souvent, tu travailleras mieux et tu passeras moins de temps à faire les punitions que te donne Mr King. Les profs t'apprécieront. Les gens te prendront plus au sérieux. Tout le contraire de maintenant, en fait.

– Et je plairai aux filles ?

– Hum... peut-être.

– Mais je croyais que les filles aimaient les garçons marrants ? Quand on les fait rire, c'est bon signe, non ? En plus, je veux devenir acteur comique plus tard. C'est mon seul talent !

– Tu es forcément doué pour plein de choses ! Et puis il faut que les gens rient avec toi, pas de toi. Je suis sûre que tu pourrais être bien plus que le clown de la classe.

Tommy contemple d'un air sombre les restes de son gâteau écrasés dans son assiette.

– Je pourrais devenir cuisinier ?

– Peut-être. En tout cas, quoi que tu décides, sache que tu es quelqu'un de bien sous tes airs de pitre, Tommy Anderson.

C'est vrai… il a un fond plutôt gentil et attentionné. Millie a raison, il a des qualités, et un jour il fera peut-être un copain très convenable. Mais pas pour moi.

Quelqu'un frappe à la fenêtre et je sursaute. C'est Coco et sa bande qui nous font des grimaces et rigolent à s'en décrocher la mâchoire.

– Fichez le camp ! je crie en me cachant derrière la carte, jusqu'à ce qu'ils se lassent et s'éloignent.

– Ta sœur se moque de toi ? demande Tommy, amusé. Summer aussi ?

– C'est la pire. Elle trouve ça très drôle, que tu me tournes autour et que tu me parles dans le car. En même temps, je comprends : vu de l'extérieur, ça ressemble un peu à un rendez-vous. Et tu n'as rien fait pour que les gens pensent le contraire. On dirait que ça te plaît qu'ils croient ça !

Tommy sourit.

– Bah, c'est plutôt bon pour ma réputation, non ?

– Tommy ! Je ne tiens pas à ce que tu te serves de moi pour devenir « irrésistible », d'accord ?

– D'accord. Et pour Summer, alors, qu'est-ce que tu disais ? Peut-être qu'elle est jalouse ?

– Euh… non, ça m'étonnerait !

Il se décompose, et soudain je comprends tout.

Il n'est pas du tout amoureux de Tina.

Voilà pourquoi il nous a suivis le jour de Halloween, et pourquoi il a arrêté tout à coup de faire l'andouille quand Mr Merlin a cassé la fenêtre. Et pourquoi il est devenu tout rouge à la cantine, gêné d'être surpris avec de la confiture plein le visage. Voilà pourquoi je suis la mieux placée pour lui donner des conseils : je connais ma sœur jumelle mieux que personne.

La fille dont Tommy rêve, c'est Summer.

Je me demande pourquoi ça me dérange autant.

13

Je suis assise sur les marches de la roulotte, au soleil, près d'un garçon à la peau brune. Ses cheveux bouclés retombent sur son visage et je voudrais les toucher, mais je n'ose pas. Finn me prend la main, faisant tinter mes bracelets, et il se penche vers moi, si proche que je sens l'odeur de fumée qui flotte dans ses cheveux…

Je suis réveillée par un grand fracas au rez-de-chaussée, qui met brutalement fin à mon rêve. On est dimanche matin, et normalement il n'y a pas autant de bruit.

– Il se passe quelque chose, dit Summer, qui est déjà à la porte de la chambre. Viens vite !

Quand j'arrive dans la cuisine, Paddy ramasse les morceaux d'une assiette cassée, pendant que Fred, le chien, nettoie les restes de bacon tombés par terre. Tout le monde est rassemblé autour de la table, sur laquelle est posé le supplément du journal du dimanche.

– Regarde ! glapit Summer. Tu as vu ça ? C'est incroyable !

– C'est nous ! ajoute Coco. On est célèbres !

Je me penche sur le magazine et découvre des photos de nous prises l'été dernier, pendant le festival que nous avions organisé pour lancer *La Boîte de Chocolats*. L'article porte d'ailleurs le nom de la société, et il est illustré de quatre pages de photos en couleurs. On y voit les pyramides de chocolats à côté de nos fameuses petites boîtes peintes à la main. Il y a aussi les guirlandes suspendues entre les arbres, les stands, le café, la roulotte et une foule de visiteurs. Et puis maman et Paddy, tout sourire, qui tiennent des boîtes dans leurs mains.

Enfin, il y a une photo de nous cinq, serrées les unes contre les autres dans la lumière du soleil : Honey, Coco, Cherry, Summer et moi, déguisées en jolies fées du chocolat avec nos tutus marron et crème et nos petites ailes. La légende indique «Les filles au chocolat».

– Ouah, je souffle. C'est un journal national, en plus, pas juste la gazette du coin !

– On est super ! lance Cherry. On dirait de vraies sœurs.

– On *est* de vraies sœurs, je dis.

Alors qu'il s'est à peine écoulé deux mois depuis la photo, nous n'avons plus jamais été aussi heureuses, confiantes et unies. Les cheveux blonds de Honey lui descendent jusqu'à la taille et brillent sous le soleil. À l'époque, elle sortait encore avec Shay, ou du moins elle le croyait. Et papa n'était pas encore parti à l'autre bout du monde. Mais ce n'est pas valable que pour Honey : Summer et moi sourions, appuyées l'une contre l'autre. Il n'y avait pas encore de désaccords, de secrets et de fausses promesses entre nous.

– Ça va nous faire de la publicité, dit maman. D'autant plus que l'article est aussi bien que les photos… Il précise que tous nos chocolats sont préparés de façon artisanale et que les boîtes sont peintes à la main. Et, surtout, il dit qu'ils sont délicieux !

– Évidemment, puisque c'est vrai ! je commente. Ils sont géniaux.

Paddy termine de balayer le sol et se joint à nous, l'air joyeux.

– C'est formidable, déclare-t-il de sa voix douce. Tout y est : le bed and breakfast, la société, et l'adresse de notre site Internet. Les choses avaient bien démarré avec le festival, mais depuis ça s'est un peu calmé. Cet article va relancer les ventes.

– J'espère, dit maman en souriant. Quoi qu'il en soit, ça tombe à pic. Juste à temps pour Noël !

Je suis soulagée, parce que je sais que maman et Paddy ont eu quelques problèmes d'argent. Ce coup de pub est vraiment le bienvenu.

– Mais je croyais que les photos étaient pour le journal local, s'étonne Cherry.

– La journaliste m'avait prévenue qu'elle pensait proposer notre histoire aux journaux du dimanche, nous rappelle maman. Même si je ne m'attendais pas à ce que ça les intéresse ! Est-ce qu'on va réussir à faire face, si les commandes se multiplient ?

– Ne t'inquiète pas, la rassure Paddy. On y arrivera.

Quelqu'un frappe timidement à la porte et l'un des clients du bed and breakfast passe la tête par l'embrasure.

– Excusez-moi, nous attendons nos œufs au bacon…

Maman porte les mains à son visage.

– J'ai tout fait tomber ! avoue-t-elle. Sous le coup de la surprise… Je suis désolée ! J'arrive tout de suite.

Elle court au frigo et attrape tout ce qu'il faut pendant que Paddy montre au client médusé le supplément du journal du dimanche, avant de le raccompagner dans la salle du petit déjeuner. Le temps que maman prépare deux nouvelles assiettes et une corbeille de toasts, il descend au village acheter deux autres exemplaires.

J'apporte enfin le petit déjeuner aux hôtes – mieux vaut tard que jamais !

Après ça, les affaires reprennent de plus belle. Les commandes arrivent en masse, par courrier, par téléphone ou par e-mail. Les gens nous arrêtent dans la rue et nous demandent si on peut leur préparer une boîte pour une fête ou un anniversaire. Paddy travaille de longues heures à l'atelier pour tenir les délais de livraison. Il nous reste encore des boîtes en carton du festival, mais maman est déjà en train d'en fabriquer une nouvelle série pour Noël.

Au lycée, Cherry et Honey reçoivent beaucoup de compliments au sujet des photos et tout le monde dit à Honey qu'elle devrait devenir mannequin. Elle plaque Alex, le motard, pour un photographe de terminale qui l'a choisie comme modèle pour son projet de fin d'année. Elle passe tellement de temps dehors qu'on pourrait presque la prendre pour une cliente du bed and breakfast, sauf qu'elle est un peu plus familière et mange avec nous. Bref, on ne la voit quasiment plus.

Même à Exmoor Park, Summer, Coco et moi devenons des célébrités pendant quelques jours. Nous ne sommes plus les sœurs Tanberry, mais «les Filles au chocolat», et on nous taquine à propos des tutus et des ailes de fées.

Même les adultes s'y mettent, surtout quand Paddy envoie au collège une grosse boîte de chocolats pour la salle des profs. Le soir même, on a sept nouvelles commandes. Mr Merlin achète un assortiment pour sa fiancée, ce qui nous fait glousser.

– Même Mr Merlin a une fiancée, me fait remarquer Millie ce jour-là, l'air dépité. Je rêve. Tu n'as pas l'impression qu'on est en train de passer à côté de notre vie ?

– Euh... non, je réponds.

– On devrait aller à Minehead samedi, insiste-t-elle. Toutes les quatre, avec Summer et Tina. Ça serait cool. On pourrait essayer des vêtements et du maquillage, et boire un verre dans le nouveau café sur la place. Il y a plein de jeunes là-bas, il paraît que c'est vraiment chouette. Et comme Summer et toi vous êtes un peu célèbres, si ça se trouve, on vous reconnaîtra. Il y aura peut-être des garçons qui viendront nous parler ! Des garçons plus vieux, du lycée !

Une des qualités que j'ai toujours appréciées chez Millie, c'est son enthousiasme. Quelle que soit sa passion du moment – la danse, les poupées Barbie, les poneys ou les livres de vampires –, elle y va à fond. Sauf que maintenant c'est pareil avec les garçons, et ça commence à me fatiguer.

– Ça m'étonnerait, je réponds. De toute façon, samedi, je ne peux pas. J'ai promis à Paddy de l'aider à préparer les commandes de chocolats. Tu peux venir nous donner un coup de main, si tu veux. En plus, je me fiche des garçons, tu le sais très bien !

– T'es pas marrante, Skye. Je parie que Summer et Tina seraient d'accord, elles !

– Summer a un cours de danse.

– Pffff.

Millie finit par abandonner. J'ai de plus en plus de mal à reconnaître ma meilleure amie. Il n'y a pas si longtemps, elle aurait été ravie de venir fabriquer des chocolats, mais, évidemment, ça ne l'intéresse plus… Je suis la première à comprendre qu'on puisse passer ses journées à penser à un garçon en particulier, mais là, c'est différent, et les obsessions de Millie deviennent vraiment lassantes.

Un garçon aux cheveux bruns et bouclés est assis à l'ombre des noisetiers, quand tout à coup un oiseau surgit de nulle part comme un éclair rouge et brun. Il se pose juste devant lui, la tête inclinée sur le côté, sa queue en éventail étalée derrière lui, et pépie doucement. Le garçon tend la main et le petit oiseau saute dessus. Je retiens mon souffle, émerveillée.

Et puis l'oiseau disparaît. Finn lève les yeux vers moi et mon cœur s'emballe…

À force de garder mes rêves pour moi, parfois, j'ai vraiment du mal à revenir au monde réel. Moi qui ne faisais jamais la grasse matinée, en ce moment je n'entends plus le réveil et Summer doit souvent me secouer et arracher ma couette pour que j'émerge.

Il faut dire que la réalité me semble beaucoup moins intéressante.

Chaque jour je mets quelque chose qui a appartenu

à Clara, un jupon en coton ou un bracelet ou le chapeau cloche. Je deviens accro au style des années vingt, accro aux vêtements de Clara. Quand je les porte, je me sens proche d'elle, et surtout proche de mon rêve et de Finn.

– Dis, tu ne fais plus de cauchemars ? me demande Summer un samedi matin.

Elle vient de me réveiller (encore une fois), avant de partir pour son cours de danse.

– Tu sais, des cauchemars sur Clara. Parce que j'ai l'impression que tu as la tête ailleurs ces derniers temps, je te trouve distante.

En voyant l'air inquiet et contrarié de ma sœur, ma réaction immédiate est de protéger mon secret en niant.

– Des cauchemars ? Quels cauchemars ?

Ce n'est pas vraiment un mensonge.

Quand je me regarde dans le miroir, le visage caché par l'ombre du chapeau cloche, je crois parfois apercevoir quelqu'un d'autre. Une fille qui aurait vécu il y a très longtemps. Certaines fois, j'ai même l'impression qu'elle veut me dire quelque chose. Je repense à ses lettres, sur lesquelles je n'ai pas encore remis la main. C'est bizarre. Je décide de les chercher de nouveau, car c'est mon seul espoir de trouver des explications et de comprendre mes rêves.

Une partie de moi n'a pas très envie d'y réfléchir,

de peur de voir les rêves s'envoler. Mais c'est vrai aussi que j'ai besoin de savoir si Clara essaie de me transmettre un message... ou si c'est mon imagination qui me joue des tours en inventant un garçon trop parfait pour être vrai.

Je passe la matinée à fouiller partout, jusqu'à ce que maman me demande de venir l'aider à faire les chambres. Pas de lettres. À midi, nous nous mettons à table et entamons la soupe de tomates et les petits pains frais de maman, quand Summer rentre de son cours. J'ai beau savoir que ça ne va pas lui plaire, je ne peux pas m'empêcher de lui poser la question fatidique.

– Dis, Summer, les vieilles lettres qui étaient dans la malle... tu ne les as pas vues ? Je les ai posées sur le bureau il y a quelque temps, et elles ont disparu...

– Quelles lettres ?

– Tu sais, le paquet des lettres adressées à Clara Travers. Je me demandais si tu les avais déplacées.

Summer fronce les sourcils.

– Peut-être que je les ai remises dans la malle...

– Mais elles n'y sont pas. J'ai déjà regardé. Tu crois que tu aurais pu les poser ailleurs ?

Summer a l'air agacée.

– Écoute, je ne m'en souviens pas. Ça m'étonnerait

que j'y aie touché, Skye. Pourquoi je m'intéresserais à de vieilles lettres flippantes ?

– Je ne t'accuse pas, Summer, c'est juste que ça m'embête de les avoir perdues. Maman... tu les as vues, toi ? En faisant le ménage, par exemple ?

– Je ne sais plus, ma chérie. Désolée. Je ne crois pas, mais, pour être franche, on est tellement débordés avec les commandes de chocolats que j'ai déjà du mal à m'occuper du bed and breakfast. Il y a un moment que je ne suis pas entrée dans vos chambres. On a beaucoup plus de réservations que d'habitude depuis la parution de l'article.

– Si ça continue comme ça après Noël, on va devoir engager quelqu'un, ajoute Paddy.

– Ouah ! s'exclame Coco. C'est bon signe, non ?

– Très bon signe, acquiesce maman. Mais pour l'instant on a du travail par-dessus la tête. Je ne sais pas comment on se débrouillerait sans vous, les filles !

On a pris l'habitude de passer à l'atelier après l'école pour plier les boîtes, les remplir de chocolats et les fermer à l'aide de petits rubans. Ensuite, on les met dans des colis prêts à l'envoi, que l'on glisse dans de gros sacs en toile que Paddy dépose tous les jours à la poste, juste à temps pour la dernière levée. Après, on a le droit de manger les chocolats qui restent. Évidemment, c'est le meilleur moment.

Honey, qui pour une fois daigne déjeuner avec nous, lève les yeux au ciel.

– C'est de l'exploitation, critique-t-elle. Comme si on n'en faisait pas déjà assez, avec les chambres et les petits déjeuners. On n'est pas des esclaves !

– Ça fait bien longtemps que tu ne nous aides plus pour le bed and breakfast, je rétorque. Alors tu ne risques pas de devenir une esclave ! Et nous, ça ne nous dérange pas. C'est rigolo.

– Tu trouves ? demande Summer.

Je sais qu'elle prend la défense de Honey, mais, comme par hasard, elle non plus n'aide plus vraiment depuis qu'elle enchaîne les cours et les répétitions. Cherry, Coco et moi faisons l'essentiel du travail, sans jamais nous plaindre.

– De toute façon, ce n'est pas avec quelques commandes de plus qu'on va devenir riches, continue Honey. Combien d'argent est-ce que tu dois à la banque, déjà, Paddy ?

– Eh bien… commence Paddy – mais elle le coupe aussitôt :

– Quand vous ferez faillite, comment est-ce que tu comptes rembourser tes dettes ? À moins que tu n'en aies pas l'intention. Tu laisseras peut-être maman se débrouiller toute seule…

– Honey ! s'offusque maman. Ça suffit !

Paddy soupire.

– Elle s'inquiète pour toi, c'est tout, dit-il patiemment. Tu ne peux pas lui en vouloir.

– Si, parce qu'elle te manque de respect. J'aimerais pouvoir te croire quand tu dis qu'elle s'inquiète pour moi, mais parfois je me demande si elle n'essaie pas juste de semer la zizanie…

– Hé, oh, je suis là ! lance Honey. C'est pas me manquer de respect, ça ? Tu parles comme si je n'étais pas dans la pièce.

– Tu n'es presque jamais là, je dis – ce qui me vaut un regard noir de Summer.

Malgré sa loyauté envers Honey, elle doit quand même bien se rendre compte que notre grande sœur cherche à créer des problèmes.

– Stop, ordonne maman. Si les affaires continuent à bien marcher, on cherchera quelqu'un au printemps ; en attendant, votre aide est la bienvenue. C'est comme ça que ça fonctionne dans une famille : il faut s'entraider. Ça ne durera pas longtemps, mais là, on a vraiment du mal à s'en sortir, surtout qu'on doit aussi terminer la chambre de Cherry. Votre sœur…

C'est la goutte d'eau qui fait déborder le vase. Les yeux de Honey jettent des éclairs.

– Vous aurez beau vous marier, Cherry ne sera jamais ma sœur ! aboie-t-elle. Et même le mariage, c'est loin d'être fait.

– Honey, arrête d'être aussi dure ! je proteste.

Ça ne me ressemble pas, d'intervenir comme ça dans une querelle familiale, mais j'ai pitié de maman et de Cherry. Il fallait que je dise quelque chose.

– Tu ne veux pas que maman soit heureuse, après ce qu'elle a enduré à cause de papa ? Tu ne veux pas faire partie de cette famille ?

Honey me fusille du regard.

– Ma famille s'est brisé en mille morceaux il y a déjà un bout de temps. Je pensais qu'on pourrait la réparer, mais je me trompais, parce que vous aviez tous d'autres intentions. Maintenant, je me retrouve coincée parmi vous, et non, ça ne me plaît pas, puisque tu veux tout savoir.

J'ai l'impression qu'elle vient de me gifler.

Un silence gêné s'installe. Le sourire de Paddy s'efface et Cherry baisse le nez sur son bol de soupe, espérant visiblement disparaître sous terre. Tout le monde réfléchit à un moyen d'arranger les choses, mais il n'y en a pas.

Soudain, je me rends compte que je n'aime pas autant ma grande sœur que je le pensais. J'en ai marre de la prendre avec des pincettes, d'essayer de lui arracher un sourire ou un mot gentil. Marre de jouer les négociatrices pour tenter de ramener la paix alors qu'elle n'en veut pas. Si ma famille se déchire, c'est à cause de Honey.

– Tu n'étais pas comme ça avant, je murmure.

Avant, je t'admirais, Honey. Je trouvais que tu étais la grande sœur la plus cool du monde, mais j'avais tort. Tu es tout sauf cool… Tu es égoïste, méprisante et cruelle !

– Tais-toi, Skye, me gronde maman.

Mais c'est trop tard : Honey bondit sur ses pieds, les lèvres tremblantes et les yeux pleins de larmes. Elle sort de la cuisine en claquant la porte et monte dans sa chambre en courant.

15

J'ai tenu tête à ma sœur et je lui ai dit ce que je pensais, mais au lieu d'être soulagée je me sens coupable. J'ai le cœur très lourd.

Summer me donne un petit coup de coude dans les côtes.

– Qu'est-ce qui t'a pris de lui balancer tout ça? chuchote-t-elle. Ça va être encore pire maintenant!

Je me mords les lèvres.

– C'est juste que… je ne supportais pas qu'elle nous dise tout ça… Oh, et puis j'en sais rien, je suis désolée!

Maman soupire.

– Peut-être que cette fois elle aura compris? Je ne sais vraiment pas comment m'y prendre avec elle. Peut-être que je devrais me montrer plus sévère… pour son bien.

– Ça vaut le coup d'essayer, acquiesce Paddy. En tout cas, Skye, tu as bien fait de ruer dans les brancards.

Peut-être qu'elle avait besoin d'un électrochoc.

– Peut-être, je réponds sans trop y croire.

Je ne pense pas que Honey ait apprécié l'électrochoc. Et si Summer avait raison, si elle s'éloignait encore plus à cause de ce que je lui ai dit?

Ma jumelle me jette un regard glacial avant de partir retrouver Tina pour un tour en ville. Je file à l'atelier aider Cherry, Coco et Paddy, mais j'ai du mal à me concentrer et je confonds les commandes. Je n'arrête pas de repenser aux yeux pleins de larmes de Honey et au regard accusateur de Summer. J'ai l'impression d'être la pire sœur du monde.

Quand Paddy me propose de porter les colis à la poste et de passer à la boulangerie acheter des gâteaux pour le dîner, je saute sur l'occasion.

À la poste, quand je dépose les boîtes, la postière interrompt son travail pour me dévisager. Mrs Lee est un peu excentrique et aime jouer les diseuses de bonne aventure. Depuis que j'ai six ans, elle prétend que j'ai un don, moi aussi. Ça me rendait très fière quand j'étais petite, parce qu'elle ne disait jamais ça à Summer.

Elle sort toujours des prédictions qui semblent un peu farfelues et peuvent être assez perturbantes pour quelqu'un qui vient juste acheter un timbre ou un rouleau de Scotch.

– Skye, je sens de la tristesse en toi aujourd'hui...
Est-ce que je me trompe?

– Je ne suis pas très en forme, si c'est ce que vous voulez dire.

– Non, il y a autre chose, pas vrai, ma mignonne? Quelque chose te pèse. On dirait que tu as vu un fantôme.

– Qu'est-ce que vous racontez? je m'écrie, car j'ai beau avoir des doutes sur son «don», cette fois elle est tombée dans le mille. Les fantômes, ça n'existe pas!

– Qui sait? Il y a beaucoup de choses qui nous dépassent... des ombres du passé... des échos de souffrance qui résonnent depuis longtemps. Tout cela est bien réel, Skye, et les anciennes tragédies peuvent marquer le présent. Je l'ai constaté à maintes reprises. Pour les personnes sensibles, celles qui sont dotées d'un sixième sens, comme toi et moi, les fantômes ne sont pas aussi ridicules que le prétendent les scientifiques!

Des dizaines de questions se bousculent dans ma tête. Après le drame du déjeuner, j'avais presque oublié Clara et ses lettres, mais les paroles de Mrs Lee font tout resurgir. Serait-il possible que je sois réceptive à une grande tristesse venue du passé, qui se manifeste dans mes rêves? Est-ce que le chagrin et la peur peuvent subsister dans les plis des robes en velours et des jupons en coton, comme un reste de parfum à la guimauve ?

Je ne pense pas. Mes rêves ne sont ni tristes ni effrayants, bien au contraire. J'ai même du mal à me détacher de ce monde imaginaire.

Mrs Lee éclate de rire.

— Je ne parlais pas vraiment de fantômes, ma mignonne… Je te trouve un peu pâle, c'est tout. « Voir un fantôme », c'est une expression !

Je rougis.

— Bien sûr, je marmonne. Évidemment. Je me suis disputée avec ma sœur…

Deux de mes sœurs, d'ailleurs.

— Ah, commente Mrs Lee en pesant mes colis, la famille… c'est toujours compliqué. On dit et on fait des choses qu'on regrette ensuite.

Je pose quelques billets sur le guichet pour payer, mais Mrs Lee n'y touche pas et m'attrape le poignet pour me lire les lignes de la main. Je suis bien contente que le bureau de poste soit vide.

— Mon Dieu, dit-elle. Tu grandis tellement vite, Skye. Je vois de l'amour !

Je me mets à rire.

— Ça m'étonnerait !

Elle pince les lèvres.

— Je ne me trompe jamais. J'ai un don. Ma mère était à moitié gitane et elle m'a appris à lire l'avenir.

– OK, désolée ! je lance avec un sourire. C'est juste que les garçons, ça ne m'intéresse pas vraiment.

À moins qu'ils ne s'appellent Finn, bien sûr…

– Peut-être que tu n'as pas encore rencontré le bon, admet Mrs Lee. Mais je le vois… très clairement. Je vois autre chose, ajoute-t-elle en regardant ma paume de plus près. Un tissu rouge, je crois. Un foulard ?

Je retire ma main comme si je venais de me brûler.

C'est Finn qu'elle a vu, alors qu'il a vécu il y a plus de cent ans… ou n'existe que dans mes rêves.

Là, ça devient vraiment flippant.

Si Mrs Lee dit vrai, comment est-ce qu'un garçon du passé peut bien avoir une place dans mon avenir ?

Dès que j'ai récupéré ma monnaie et mon ticket, je cours jusqu'à la boulangerie en essayant de reprendre mes esprits. J'achète des pâtisseries pour tout le monde, y compris le dessert préféré de Honey : un éclair au chocolat. Quand je sors, mes deux boîtes à la main, Tommy Anderson surgit devant moi. Sans doute la dernière personne que j'ai envie de voir à ce moment.

– Skye ! s'écrie-t-il, tout joyeux. Ça va ? Je te paierais bien un milk-shake, mais je n'ai pas un rond…

– Je te paierais bien une Porsche, mais je n'ai pas d'argent non plus.

Tommy éclate de rire et m'emboîte le pas.

– On va au parc ? On pourrait virer les petits, faire le cochon pendu sur le portique et remonter le toboggan à l'envers…

– Tommy, il gèle. Et il fera bientôt nuit.

Et puis je n'ai pas spécialement envie de m'afficher en public avec un garçon bizarre qui est amoureux de ma sœur jumelle. Je préférerais être seule pour réfléchir à tout ce que m'a dit Mrs Lee, comprendre comment un fantôme peut être inscrit dans les lignes de ma main, et essayer de trouver une solution pour me réconcilier avec Honey et Summer.

– S'il te plaît ! insiste-t-il.

– Tommy, vraiment, laisse tomber…

Cinq minutes plus tard, je suis assise sur le tourniquet du parc. Il y a des jours où on ferait mieux de rester couché.

Je remonte les genoux contre ma poitrine pour me tenir chaud et protéger les boîtes de gâteaux pendant que Tommy me fait tourner de plus en plus vite. Au moment où je crois que ma tête va exploser, il arrête le tourniquet et s'écroule à côté de moi.

– Alors, me demande-t-il, qu'est-ce que tu veux pour Noël ?

Je le regarde en luttant contre le tournis.

– C'est dans super longtemps !

– Non, dans quatre semaines et deux jours. Ça va

venir vite. Nous, on va acheter notre sapin le week-end prochain !

– Nous aussi, je crois. Ces dernières années, on en avait un faux, mais Paddy a promis de nous trouver le plus grand de la région.

– Cool, commente Tommy. Et donc… tu veux quoi pour Noël ?

Je l'observe du coin de l'œil. Il a abandonné son look de fou furieux passé dans une tornade et ses cheveux sont presque normaux, juste un peu ébouriffés avec quelques mèches qui retombent sur le front. Ça fait un petit moment qu'on ne le voit plus lancer de frites à la cantine ni jongler avec des fruits ni enfourner des gâteaux entiers dans sa bouche. Il y a du progrès.

Une chose est sûre, il est toujours aussi peu subtil.

– Tu t'en fiches, en fait, avoue. Ce qui t'intéresse, c'est ce que Summer veut pour Noël.

Tommy rougit. C'est triste qu'il soit amoureux d'une fille qui ne le voit même pas. Pour ma sœur, il est aussi insignifiant qu'un insecte qui bourdonnerait près de ses oreilles. Le genre d'insectes qu'on écrase d'un coup de journal sans y réfléchir.

– Tu en penses quoi ? demande-t-il, l'air de rien.

– Elle ne s'attend pas à recevoir de cadeau de ta part, je réponds, aussi gentiment que possible. Je ne sais pas si c'est une bonne idée.

– Mais j'en ai envie. Je comptais déposer mon cadeau avec une carte dans son casier à l'école, sans signer… Comme ça, elle se posera des questions. Et elle saura qu'elle a un admirateur secret.

– Pourquoi pas, oui…

– C'est pas facile de choisir, ajoute-t-il, soucieux. Je suis allé en ville cet après-midi, mais j'étais un peu perdu. Qu'est-ce que je suis censé lui offrir ? Ça aime quoi, les filles ? J'ai pensé à une boîte de chocolats, mais dans votre cas je ne vois pas trop l'intérêt.

– Non, c'est sûr. Pourquoi pas quelque chose d'utile ? Comme une jolie paire de chaussettes en laine ?

– Tu rigoles ? On n'offre pas de cadeau utile à sa copine. Surtout pas des chaussettes !

– Je sais, je rigole. Mais ce n'est pas ta copine, Tommy.

– Pas encore. Enfin bon, j'ai quand même acheté quelque chose. Tu me donnes ton avis ?

Le tourniquet s'est complètement immobilisé. Le crépuscule nous enveloppe peu à peu, et on distingue au loin des rires et des cris d'enfants, ainsi que le bruit d'un tracteur sur la route du village. Tommy sort de sa poche un petit paquet enveloppé dans du papier. Il l'ouvre doucement et une barrette ornée d'une rose en soie apparaît. C'est magnifique, tout à fait le genre de choses qu'aurait choisi Summer.

– Très joli, je dis. C'est parfait.

« Comme Summer », je pense amèrement, avant de le regretter aussitôt.

– Tu trouves ? Génial ! répond Tommy. Et merci beaucoup pour tes conseils sur mes cheveux et les pitreries en classe. Et pour avoir gardé le secret. Tu ne lui as rien dit, hein ?

– Non, c'est à toi de le faire.

– Ouf ! T'es vraiment une bonne copine, Skye. Si tu as besoin d'aide pour quoi que ce soit, tu n'as qu'à me demander.

L'espace d'un instant, je suis tentée de le prendre au mot. Ça me ferait du bien, de parler à quelqu'un de ce qui me travaille en ce moment. Mais c'est tellement bizarre, tellement compliqué. Comment pourrais-je expliquer à Tommy que je suis amoureuse d'un fantôme ? Ou que Honey me fait l'effet d'une bombe à retardement ? Ou que je me sens de moins en moins proche de ma sœur jumelle ?

16

Je dis au revoir à Tommy et me dirige vers la rue principale pour rentrer à la maison. Un bus s'arrête un peu plus loin, éclairant le trottoir d'une lumière jaune.

Des gens en sortent, des sacs de course à la main, leur col remonté pour se protéger du froid ; il y a des mamans avec des poussettes, des enfants et des adolescents qui rient et se bousculent.

– Skye, crie quelqu'un. Attends-moi !

Summer me rejoint en courant, son manteau serré autour d'elle.

– On faisait nos courses de Noël, m'explique-t-elle, tout sourire, comme s'il ne s'était rien passé à midi. Avec Tina. Enfin, moi, j'ai surtout regardé les vitrines ! Je croyais que tu donnais un coup de main à l'atelier ?

– Oui, mais comme je n'arrivais pas à me concentrer, Paddy m'a envoyée poster les colis… Summer, je me sens mal, je déteste qu'on se dispute. Je regrette d'avoir dit tout ça à Honey.

Ma sœur me prend par le bras.

– Je suis désolée d'avoir été aussi désagréable. J'ai eu tort. Je me doute que tu voulais bien faire… Mais Honey est tellement distante, tellement susceptible. Je ne supporte pas de la voir comme ça.

– Moi aussi, j'avoue en soupirant. Mais, des fois, j'en ai marre de marcher sur des œufs.

– Je sais. Ça m'énerve autant que toi, et pourtant je ne dis rien. Peut-être parce que c'est plus facile. Honey est déjà en colère contre maman, Paddy et Cherry, je ne voudrais pas qu'elle me déteste aussi. Tu comprends ?

– Oui, je crois. Moi non plus, je ne veux pas la perdre. Mais plus on la laisse faire, plus elle devient insupportable.

– Tu as sans doute raison. Je ne voulais pas te faire culpabiliser. J'étais juste étonnée, parce que d'habitude tu es plutôt conciliante. Enfin, plus depuis quelque temps… Maintenant, tu tiens tête à Honey. Tu lui dis ce que tu penses.

Et si c'était l'influence de Clara ? Je suis sûre qu'elle n'était pas du genre à se taire.

– On ne peut pas la laisser faire comme si c'était normal, j'explique. Il faut bien que quelqu'un intervienne avant que ça empire.

– C'est sûr. Parfois, j'oublie que tu n'as pas forcément les mêmes idées ou les mêmes réactions que moi. Pardon, Skye.

– C'est pas grave.

Summer a toujours eu du mal avec l'idée que deux sœurs jumelles puissent avoir des avis et des sentiments différents. Mais ce n'est pas le moment de penser à ça. On a mis les choses au clair et réglé le problème. Je suis soulagée.

Nous marchons en silence pendant quelque temps, puis Summer reprend la parole.

– Skye… je me demandais… est-ce que tout va bien entre Millie et toi ?

– Millie ? Oui, il me semble… Même si elle est un peu obsédée par les garçons ces temps-ci.

– Parce qu'il s'est passé un truc bizarre… L'autre jour, je discutais avec elle et Tina à l'heure du déjeuner, pendant que tu étais au club de théâtre, et elle nous a entendues parler d'aller faire du shopping à Minehead aujourd'hui. Je crois qu'elle aurait bien voulu qu'on l'invite, mais sur le coup je n'ai pas compris.

– Oh oui, elle m'en a parlé. Elle tenait absolument à aller au nouveau café sur la place. Comme il paraît que c'est plein d'élèves du lycée, elle espérait y faire des rencontres. Je lui ai répondu que j'étais prise, et puis de toute façon elle sait très bien que ce n'est pas mon truc.

– Je vois… sauf que finalement elle s'est pointée aujourd'hui. On ne lui avait pas proposé de se joindre à nous, mais elle nous a retrouvées et suivies comme si c'était prévu. Et elle nous a traînées au café, aussi. C'était plein de mamans et de bébés, et tellement cher qu'on a dû se partager un cappuccino à trois. On n'a fait aucune rencontre, en tout cas. Je n'ai pas vraiment compris !

Je ressens un petit pincement au cœur. Il n'y a aucune raison pour que Millie ne passe pas un peu de temps avec Tina et Summer sans moi, mais… pourquoi ne m'a-t-elle rien dit ?

Millie a toujours adoré Summer, un peu comme une idole inaccessible. Mais ça n'a rien à voir avec notre relation : toutes les deux, on se connaît par cœur et on partage plein de choses.

Pourtant, on dirait que c'est en train de changer. Est-ce que, depuis le début, c'est avec Summer que Millie voulait être amie ? Est-ce que je passe encore après ma sœur jumelle ?

– Peut-être qu'elle était déjà en ville, je réponds, histoire de trouver une autre explication et de ne pas me sentir abandonnée par ma meilleure amie.

– Peut-être. Mais je préfère quand même t'en parler. Elle nous tourne pas mal autour ces temps-ci. C'est bizarre, et c'était encore plus bizarre de passer l'après-midi toutes les trois, sans toi.

La discussion s'arrête là. Décidément, j'ai de plus en plus l'impression de vivre dans l'ombre de ma sœur. D'abord Tommy, puis Millie : tout le monde est fou d'elle. Pourquoi est-ce que je ne peux jamais rien avoir qui soit vraiment à moi ?

Le soir, comme on pouvait s'y attendre, Honey ne vient pas dîner avec nous. Même la crème sucrée des pâtisseries ne parvient pas à effacer le goût amer que nous a laissé cette journée.

Avant d'aller me coucher, je dépose l'éclair au chocolat devant la chambre de Honey, en haut de la tour. Le lendemain matin, mon offrande a disparu.

e week-end suivant, nous allons chercher le sapin de Noël. Ce n'est pas le plus grand de la région, mais il est quand même immense. On doit s'y mettre tous ensemble pour le hisser sur le toit du minivan de Paddy, puis le porter dans la maison, en nous battant avec les branches piquantes qui s'emmêlent dans nos cheveux.

Honey est la seule qui ne participe pas, mais heureusement elle accepte encore de me parler. Quand on était plus jeunes, elle adorait décorer le sapin. Cette fois, tout le monde sait que ce sera beaucoup moins stressant si elle n'est pas là.

– Ce sera le plus beau de tous nos sapins, je déclare.

– Mais on ne va pas avoir assez de guirlandes, remarque Summer.

– Ni de lumières, dit Coco, un peu déçue. On va devoir attendre pour le décorer. Moi qui voulais m'y mettre tout de suite !

– Ne t'inquiète pas, répond Paddy d'un ton joyeux. Cherry et moi avons apporté les décorations de notre ancien appartement. Il y a plein de guirlandes, de boules et de petites lumières. Cherry, je crois que le carton est dans la remise à côté de l'atelier…

– Le nôtre est sur mon armoire, si quelqu'un veut aller le chercher, dit maman. Et je crois qu'on va avoir besoin du CD de Noël…

On prend notre temps pour décorer l'arbre, en écoutant des chants de Noël un peu ringards. On accroche des guirlandes électriques colorées, des boules brillantes et des jolies décorations en bois peintes à la main qui appartenaient à Paddy et Cherry. On ajoute celles qu'on a fabriquées quand on était petites, mes sœurs et moi : des grosses formes en pâte à sel, des cœurs en tissu ornés de sequins et des petites étoiles en bois tressé saupoudrées de neige artificielle.

Il y a aussi six oiseaux magnifiques en carton pailleté, avec des queues en papier qui ressemblent à des éventails japonais – c'est la contribution de Cherry, inspirée de l'origami.

C'est sympa de mélanger deux cartons de décorations, comme on a mélangé nos deux familles pour en fabriquer une nouvelle. C'est un peu comme une addition magique, où 2 + 2 feraient beaucoup plus que 4.

– Lequel des deux anges voulez-vous mettre en haut du sapin ? demande maman.

On a le choix entre celui des Costello, tout pailleté, qui a été acheté, et notre petite ballerine en papier mâché habillée de soie et de résille. Je l'ai toujours connue, car maman l'a fabriquée elle-même quand elle était étudiante aux beaux-arts, et je l'adore.

– La ballerine, décide Cherry. Elle est superbe.

Paddy soulève Coco et elle installe la figurine en haut de l'arbre. Puis Summer branche les guirlandes lumineuses, et tout le monde applaudit. Le sapin semble tout droit sorti d'un conte de fées.

– Ça sent tellement bon, je murmure. Ça sent Noël !

– Cette année, on fête ça comme il faut, dit maman. À notre façon. En mélangeant traditions et nouveautés pour que ça nous ressemble !

– Est-ce qu'on va suspendre des bas à la cheminée ? demande Coco. Je sais qu'on est grandes, mais c'est tellement chouette !

– Skye et moi, on va avoir treize ans en février, lui rappelle Summer. Toi, tu n'as que onze ans, Coco. Tu es beaucoup plus jeune que nous.

– Mais on a encore largement l'âge de suspendre des bas à la cheminée, je réplique. Toutes les quatre !

– Avant, j'accrochais juste une taie d'oreiller au bout de mon lit, dit Cherry. Des bas à une cheminée, c'est mon rêve !

– D'habitude, on écrit une lettre au Père Noël et ensuite on la jette dans le feu pour voir si elle s'envole, explique Coco. On va le faire, hein ?

– Et est-ce qu'on pourrait avoir de la bûche au lieu d'un pudding aux fruits confits ? je réclame.

– Et pas de choux de Bruxelles… glisse Paddy.

– Et du cake aux marrons à la place de la dinde, vu que je suis végétarienne maintenant ? continue Coco.

– Tout ce que vous voulez, répond maman en riant. D'accord pour le cake aux marrons, mais peut-être que les autres auront quand même envie de manger de la dinde, Coco ! Moi, j'organiserais bien un réveillon avec nos amis et nos voisins. Ça vous tente ?

– Cool ! dit Summer. Et avant, vous viendrez tous voir le spectacle de danse !

– Oh oui ! On peut ? s'exclame Cherry. Je n'ai jamais vu de ballet !

Quelques jours après, Summer trouve la carte et le cadeau de Tommy dans son casier (à Exmoor Park, les casiers ne ferment plus, parce qu'on perdait tout le temps nos clés et que Mr King en a eu marre et a fait retirer les serrures).

– C'est magnifique ! s'extasie-t-elle en ouvrant de grands yeux. C'est signé « un admirateur secret », je n'ai aucune idée de qui ça peut être…

Elle me montre la carte, qui représente une danseuse en robe rouge avec un chapeau de Père Noël. Tommy nous observe depuis l'autre côté du couloir. Quand Summer glisse la barrette dans ses cheveux, il sourit.

– Ouah! souffle Millie dans mon dos. C'est tellement romantique!

– Vous croyez que ça pourrait être Zack Jones? nous interroge ma sœur. Il est en cours de français avec moi. Ou Carl Watson? Ou Sid Sharma?

– Ou quelqu'un d'autre, je suggère en essayant de ne pas croiser le regard de Tommy.

– Tu veux que je demande à Zack? propose Millie. Allez, Summer, ça ne me dérange pas. Il faut que tu saches. Je serai très discrète.

– Non merci, Millie, répond Summer.

Je la comprends, parce que Millie est à peu près aussi discrète qu'un Bikini imprimé léopard.

– Zack est plutôt mignon. Et Tina m'a toujours dit qu'il craquait sur moi. En même temps, Carl m'a fait un clin d'œil hier à la cantine, et il y a plein de filles qui sont amoureuses de lui. Mais je croise parfois Sid quand il accompagne sa petite sœur à la danse. Il est beaucoup plus sympa en dehors de l'école…

– Summer, je la coupe, je croyais que ça ne t'intéressait pas, les garçons?

– Non, bien sûr. Je suis juste… curieuse. Toi aussi, tu voudrais savoir, à ma place!

– Sauf que je ne suis pas à ta place.

C'est un peu triste et mesquin comme réponse, alors je ris pour compenser.

– Ça ne va pas tarder ! promet Summer. Je ne sais pas comment t'expliquer, Skye, mais ça me fait comme des papillons dans le ventre, de savoir que quelqu'un… enfin, tu vois, quoi… m'aime bien.

– Ne t'inquiète pas, intervient Millie. On grandit chacune à notre rythme, c'est ce que disent tous les magazines. Tu finiras par nous rattraper, Skye !

J'essaie de sourire malgré la colère qui commence à monter. Je me sens beaucoup plus vieille et plus mûre que mon amie, parfois. Grandir, ce n'est pas seulement mettre du gloss, porter des chaussures à talons et glousser dès qu'un garçon s'approche. À entendre Millie, on dirait que j'ai à peine cinq ans.

Quant à Summer et à ses papillons dans le ventre… je connais très bien cette sensation, même si je ne la ressens que dans mes rêves.

Mes rêves qui, toute la semaine, se sont succédé, pour former comme un vieux film en Technicolor qui me raconterait le passé d'une autre. Et depuis ma visite à Mrs Lee, Finn envahit mon esprit même quand je ne dors pas.

C'est un peu comme être amoureuse en secret de quelqu'un d'inaccessible, plus inaccessible encore qu'une star de cinéma ou un chanteur de rock.

Comment est-ce que je peux craquer pour un fantôme... alors que je n'y crois même pas?

– Et si jamais le cadeau ne venait pas de Zack, de Carl ou de Sid? je demande à Summer. S'il venait d'un garçon banal, voire un peu lourd?

Ma sœur prend un air songeur.

– Ce n'est pas possible, répond-elle, un peu troublée. Il est forcément cool, ça se voit, parce qu'il s'est vraiment donné du mal.

– Mouais...

– Quelqu'un comme... Tommy Anderson, par exemple, n'y aurait jamais pensé. S'il voulait impressionner une fille, il lui offrirait un chewing-gum qui rend la langue bleue ou une boule puante.

Tommy nous regarde toujours de loin, les yeux brillants. Parfois, mieux vaut rester dans l'ignorance.

– On n'a qu'à déjeuner ensemble, propose Millie à ma sœur. On pourrait dresser la liste de tous les garçons possibles. Et après, on pourrait leur parler, l'air de rien, pour voir si tu leur plais... Oh, c'est super excitant!

La sonnerie retentit et Summer s'éloigne, Millie accrochée à son bras. Je suis partagée entre la pitié que m'inspire Tommy, la vexation de ne pas avoir eu de cadeau d'admirateur secret, et la tristesse de voir ma meilleure amie s'éloigner de moi.

Millie ne me parle plus de ses espoirs, de ses rêves et de ses ambitions. Elle ne veut plus discuter de la fabrique de chocolats ni de la plage ni de voyages dans le temps, de robes à crinoline et de grands chignons.

Bon, ce n'est pas la fin du monde. Mais je n'aurais jamais cru qu'elle me préférerait ma jumelle.

Nous marchons dans les bois, éclairés par les rayons du soleil que filtrent les arbres. Le grand chien maigre court devant nous sur la mousse, et nous sommes entourés de fleurs de mauve rose foncé.

Il fait chaud, même à l'ombre. Finn me tient par la main. Je n'entends pas ce qu'il dit, mais je sens la chaleur de sa peau contre la mienne. Il me sourit, me parle, repousse ses cheveux de son visage et tire sur son foulard rouge tout en m'entraînant entre les arbres noueux.

Quand nous atteignons la petite barrière à l'orée des bois, il saute par-dessus puis m'aide à l'escalader. Il porte une chemise blanche et des bretelles rouges sous un gilet ouvert. Il a remonté ses manches sur ses bras bronzés.

Je m'écarte de lui et je pars en courant vers la prairie parsemée de fleurs sauvages. Je patauge dans un ruisseau, je traverse un champ et je ris aux éclats, le visage levé vers le ciel bleu.

Nous arrivons sur la plage et Finn attrape de nouveau ma main pour m'aider à franchir les rochers. On marche sur les galets, les coquillages et le sable pour atteindre les vagues, et l'eau froide nous éclabousse les pieds.

Et puis il me prend dans ses bras et me serre contre lui, si près que j'entends son cœur battre. Quand nos lèvres se touchent enfin, je ne sais plus si je suis Skye Tanberry, Clara Travers ou quelqu'un d'autre encore, et je m'en moque. Tout ce qui m'intéresse, c'est le goût du sel et du bonheur, ma main qui caresse sa joue et mes doigts qui jouent avec ses cheveux. Le soleil est au zénith, l'eau est froide sous nos pieds, et je ne me suis jamais sentie aussi vivante, vivante, vivante.

Même si tout ça n'était qu'un rêve, je sens encore le goût du sel sur mes lèvres quand je me réveille. À moins que ce ne soit celui de mes larmes ? Je voudrais tellement que ce soit réel. Je me retourne dans mon lit et je ferme les yeux, mais, malgré tous mes efforts, je n'arrive pas à reprendre le fil de mon rêve.

18

*L*e samedi suivant, Cherry s'installe dans sa nouvelle chambre. Maman et Summer sont parties à Minehead, la première pour ses achats de Noël, la seconde pour son cours de danse. Coco aide Paddy à l'atelier, car les commandes s'enchaînent de plus en plus vite.

Je prépare deux tasses de chocolat brûlant, je les parsème de mini-Chamallows et je grimpe l'échelle en bois qui conduit au grenier. Je passe la tête par la trappe.

– Coucou, Skye ! lance Cherry. Entre !

Maman et Paddy ont peint les murs en jaune pâle et restauré un vieux lit en fer forgé qu'ils ont trouvé en vidant la pièce. Pour l'occasion, ils ont acheté un matelas et une couette, à laquelle ils ont ajouté la couverture en patchwork de la roulotte. Il y a aussi un tapis rayé, une coiffeuse en pin et une tringle à vêtements que Paddy a fabriquée à partir d'un manche à balai.

Les petites fenêtres sont cachées par des rideaux japonais, des *noren* à imprimé geisha ; un parasol suspendu au plafond fait office d'abat-jour et le super kimono de Cherry est accroché au mur. Le résultat est vraiment génial. Dans cette jolie pièce bien rangée, on ne risque pas de perdre un paquet de lettres vieilles d'un siècle.

– Ma chambre est trop cool ! s'écrie Cherry qui installe ses vêtements sur la tringle et range ses chaussettes et ses collants dans un tiroir. Elle est mille fois mieux que celle que j'avais à Glasgow. J'adore le toit mansardé et les fenêtres. En me mettant sur la pointe des pieds, j'arrive même à voir la mer !

Je pose les tasses et me laisse tomber sur un gros pouf.

– Ça te dit une pause-chocolat ?

– Carrément, répond Cherry avant de s'asseoir sur le lit. Ça va, toi ?

– Très bien. Enfin… ça dépend.

– OK… qu'est-ce qui ne va pas, alors ?

Par où commencer ? Même si je peux presque tout dire à ma demi-sœur, je me vois mal lui raconter que je suis amoureuse d'un Gitan mort depuis longtemps. Si je lui parle de mes rêves, est-ce qu'elle va me prendre pour une folle ?

Je réfléchis à quelque chose de plus facile à évoquer.

– Grandir, c'est dur. Millie est devenue bizarre du

jour au lendemain. Elle ne s'intéresse plus qu'aux garçons et au maquillage, maintenant. Elle me traite comme une gamine.

— Je voix, commente Cherry. Mais tu ne penses pas que c'est justement parce qu'elle se sent perdue par rapport à tout ça ?

Je réfléchis.

— Peut-être. Millie a toujours été passionnée par une chose puis une autre, mais cette fois ça devient pénible. Peut-être que c'est moi qui suis perdue ? Je ne suis pas encore vraiment sûre de vouloir grandir.

— Tu t'en sors très bien, me rassure Cherry. C'est vrai que c'est compliqué de grandir. Millie se débrouille comme elle peut ; ça finira par lui passer.

— J'espère. Mais j'ai l'impression qu'on s'éloigne, toutes les deux, et qu'elle préfère être avec Summer qu'avec moi. En même temps, je ne peux pas lui en vouloir...

Ma sœur jumelle dégage quelque chose, un éclat, un charme qui attire les gens et les pousse à rechercher sa compagnie, comme les moustiques sont attirés par la lumière. Mais est-ce qu'elle n'a pas assez d'amis comme ça ? Est-ce qu'elle a vraiment besoin d'ajouter Millie à sa collection ?

— Elle a rejoint Summer et Tina en ville il y a quinze jours. Elle ne m'en a même pas parlé... C'est Summer qui me l'a dit. Tu crois que je vais perdre Millie ? Qu'elle en a marre de moi ?

— Fais-moi confiance, personne ne peut en avoir marre de toi, Skye. Tu es une des filles les plus cool que je connaisse. Mais... ces derniers temps, tu es un peu distante, un peu distraite. Comme si tu t'enfermais dans ton monde. C'est peut-être ça le problème ?

Je réfléchis. Est-ce que j'ai tort de vouloir me réfugier dans le passé, alors que le présent est si incertain et l'avenir si effrayant ? Je ne pense pas.

— Millie a besoin de toi, conclut Cherry. Peut-être que tout ça c'est une façon d'attirer ton attention, ou même de te rendre jalouse. Ne renonce pas à votre amitié simplement parce que l'une de vous a un peu changé. Il faut y mettre du tien. Je m'y connais, Skye. Avant d'arriver ici, je n'avais pas vraiment d'amis, alors je sais à quel point c'est important. Ne baisse pas les bras !

En ce qui me concerne, je n'ai pas l'intention de renoncer à Millie, mais à force je me demande si ce n'est pas ce qu'elle voudrait. Je m'empresse de chasser cette idée de mon esprit.

— En tout cas, ajoute ma demi-sœur avec un grand sourire, tu sais où me trouver si tu as besoin de parler. Ça va me manquer, de ne plus pouvoir me blottir dans ma roulotte, mais au moins, maintenant, je suis tout près et il fait nettement plus chaud ici !

– On pourra toujours y aller de temps en temps, je réponds avant d'avaler les dernières gouttes de mon chocolat.

– Bien sûr. Tu sais que papa va la repeindre pour le mariage ? Charlotte veut emprunter un cheval à la ferme d'à côté et descendre en roulotte jusqu'à l'église de Kitnor !

J'écarquille les yeux.

– Ça va être génial ! On l'a fait une fois il y a long-temps, pour la foire du village.

Je m'adosse contre le lit. Dans ma tête, je revois la roulotte, un peu différente, installée dans la clairière au milieu de plusieurs autres. Est-ce un rêve, le fruit de mon imagination ou un écho du passé ?

Les lettres de Clara semblent avoir complètement disparu, alors je ne le saurai sans doute jamais.

– Est-ce que tu crois aux fantômes ? je demande tout à coup.

Cherry lève la tête, surprise.

– Aux fantômes ?

– Oui, enfin, aux esprits. Qui surgissent du passé…

Je ne voulais pas en parler, mais Cherry sait écou-ter. Et si je garde ça pour moi, comment pourrai-je démêler le sens de ces rêves ?

Une ombre passe sur le visage de ma demi-sœur.

– Non, je ne crois pas aux fantômes. S'ils existaient,

je crois que ma mère aurait essayé d'entrer en contact avec moi.

Je me mords les lèvres. Quelle idiote je fais !

– Oh, Cherry, je suis désolée ! J'aurais dû me taire.

Elle soupire.

– T'inquiète. Ça remonte à un bout de temps. Je me suis faite à l'idée. Mais… quelle drôle de question, Skye ! Il s'est passé quelque chose ?

Elle me dévisage. Pourquoi je parviens à lui dire ce que je ne peux pas, ou ne veux pas, confier à Summer ? Est-ce parce que je crains que ma jumelle ne se fâche ou qu'elle n'ait peur ? Elle jetterait sûrement la malle au feu. Si ça arrivait, je n'aurais plus aucun lien avec Clara ni avec Finn, et je ne suis sans doute pas prête à courir ce risque. Ou est-ce simplement parce que j'ai l'impression que nous nous éloignons peu à peu ?

J'inspire un grand coup.

– Tu sais, tu as dit que j'étais un peu distante et distraite ces derniers temps… Eh bien, tu as sans doute raison. Je fais des rêves étranges, on dirait des images venues du passé ou des bribes de souvenirs… à propos de Gitans dans les bois. Ça doit avoir un rapport avec Clara Travers…

Cherry réfléchit.

– Ça peut aussi être ton imagination. C'est une histoire tellement triste, et puis on a retrouvé cette malle… Peut-être qu'inconsciemment ton esprit cherche à combler les trous et à inventer une fin heureuse ?

Je hausse les épaules.

– C'est juste que… j'ai l'impression qu'il y a autre chose. Que je ne peux pas arrêter d'y penser ni revenir en arrière.

– Ce ne sont que des rêves, me rappelle Cherry. Ce n'est pas comme si tu avais vu un fantôme.

– Non… Alors tu crois que ça ne veut rien dire ? Qu'il n'y a pas de mystère à éclaircir ? Dans les films, les fantômes s'attardent près des vivants pour les aider à découvrir la vérité sur le passé. Du coup, je me pose des questions.

Cherry a l'air un peu inquiète.

– Attends, Skye… tu ne crois quand même pas que Clara cherche à te dire quelque chose ? Par exemple, qu'elle ne s'est pas suicidée ? Que quelqu'un l'a assassinée ? Ça fiche la trouille !

Je fais non de la tête.

– Non, ce n'est pas ça du tout. Je ne peux pas vraiment t'expliquer. Ça n'a rien d'effrayant ni de sinistre. Mais il doit bien y avoir une raison pour que ça m'obsède autant, non ?

– L'histoire de Clara a l'air de t'avoir vraiment marquée. Mais il ne faut pas que tu t'emballes. Personne n'essaie de te transmettre un message et il n'y a pas de mystère.

– Je sais, je dis n'importe quoi, je conclus en riant pour détendre l'atmosphère.

Je ne veux pas que Cherry pense que je perds la boule.

– Tu as raison, je me suis laissée emporter par mon imagination. Merci de m'avoir écoutée, Cherry. Maintenant que j'y repense, ce n'est pas si terrible. Juste un ou deux rêves un peu bizarres.

Elle acquiesce et n'insiste pas. Peut-être que les fantômes n'existent pas, mais comme l'a dit Mrs Lee il y a beaucoup de choses qui nous dépassent.

Ce qui est sûr, c'est qu'un garçon nommé Finn a pris possession de mon cœur et de mon esprit. Et je n'ai pas envie qu'il s'en aille.

Ma demi-sœur se met à ranger sa coiffeuse : brosse à cheveux, maquillage, lait corporel et bracelets. Elle sort une petite photo de Shay, qu'elle accroche au miroir afin de la voir tous les jours.

– Est-ce que tu as su dès le début, pour Shay ? je lui demande. Qu'il te plaisait ?

Cherry secoue la tête.

– Pas du tout ! Je le trouvais prétentieux, pénible et arrogant. Il allait très bien avec Honey.

– Qu'est-ce qui a changé ?

– J'ai appris à le connaître. J'ai tenté de toutes mes forces de lutter contre mes sentiments. J'avais conscience que c'était mal, mais je n'y pouvais rien.

– Tu l'aimes ?

Les joues de Cherry deviennent toutes rouges.

– Je crois, oui.

– Mais… comment tu le sais ? Comment tu le sens ?

– Je pense tout le temps à lui. J'ai envie de le voir. Mon cœur bat très vite et j'ai du mal à respirer…

Elle me regarde d'un air interrogateur.

– Skye, il y a un garçon qui te plaît ?

C'est à mon tour de rougir.

– Peut-être…

– C'est ce Tommy que j'ai vu à Halloween ? Celui dont parle tout le temps Summer pour t'embêter ?

J'éclate de rire.

– Ah non, pas Tommy ! Clairement pas. Non, c'est beaucoup plus compliqué.

Cherry sourit tristement.

– C'est toujours compliqué.

19

Coco, Cherry, Summer et moi, on rédige nos listes de Noël sur des petits carrés de papier coloré, en indiquant ce qu'on voudrait le plus au monde. C'est facile pour Coco, qui écrit «un poney» en majuscules, suivi de «des cours d'équitation», «un lama», «un âne» et «un perroquet». Cherry demande de quoi décorer sa nouvelle chambre, comme des guirlandes lumineuses et des posters, et Summer des chaussons pour faire des pointes. Elle en rêve depuis toujours et va enfin pouvoir les utiliser.

Dans un premier temps, moi, j'ai plus de mal à me décider, parce que les choses que je voudrais sont impossibles à avoir. C'est comme ça depuis des années, depuis que papa est parti et que j'ai compris que je ne pouvais pas écrire son nom sur ma liste de Noël, de peur de faire de la peine à maman. Et cette année? J'aimerais porter les robes de la malle de

Clara, rêver de Finn, remonter le temps pour l'embrasser et voir si c'est aussi bien que dans mes rêves. Je ne suis pas sûre que le Père Noël puisse arranger ça.

Finalement, je repense à un châle style gitane que j'ai repéré dans une boutique et je le note sur mon carré de papier.

En attendant que les autres aient inscrit la totalité de leurs souhaits, je vais chercher dans la cuisine de quoi préparer des «sandwichs aux Chamallows». Il suffit de piquer les bonbons sur une grande fourchette, de les faire griller dans la cheminée, puis de les déposer entre deux biscuits nappés de chocolat. La guimauve et le chocolat fondent et se mélangent pour former une délicieuse mousse sucrée. Coco et Cherry se jettent dessus, mais Summer fronce le nez.

– Ça doit faire un million de calories, dit-elle. Berk.

Je lui tire la langue et mords dans mon sandwich. Pourquoi penser aux calories quand on se régale?

Maman apporte quelques bûches pour le feu, sans doute un prétexte pour jeter un œil à nos listes.

– La tienne est drôlement courte, me dit-elle. Tu es en panne d'idées?

– Je ne sais pas ce que je veux, j'explique (même si ce n'est pas tout à fait vrai). Quelque chose de vintage et de chouette, n'importe quoi. Une surprise.

– Pas de problème, répond maman.

Je me lèche les doigts et, sur un coin du papier

coloré, je dessine un petit oiseau à la queue en éventail, une image qui, depuis quelque temps, envahit
mes cahiers et mon cœur.

– C'est quoi ? me demande Coco. Tu veux une
perruche ?

– Non non, c'est juste des gribouillis.

– Tu pourrais en avoir une ! On la mettrait dans la
cage de notre chambre, intervient Summer en s'asseyant à côté de moi sur le tapis.

– Je n'aime pas les oiseaux en cage, Summer.

– Je sais. Non, sérieusement, je viens d'avoir une
idée géniale : on pourrait demander une fête d'anniversaire, une vraie fête d'ados pour nos treize ans.
Qu'est-ce que tu en dis ?

Ce que j'en dis ? Un gâteau et un chocolat chaud au
Chapelier fou me plairaient beaucoup plus qu'une
boum ridicule où des filles pomponnées sirotent
du Coca en lorgnant des garçons boutonneux. Pour
moi, une boum serait une vraie torture, mais pas pour
Summer apparemment.

Alors que je m'apprête malgré tout à sourire et à
acquiescer pour lui faire plaisir, je repense à toutes
les fois où j'ai accepté des choses juste parce qu'elle
trouvait ça cool. On ne me demande jamais ce qui
me ferait plaisir, à moi. Et j'en ai marre.

– Je ne sais pas trop, Summer. Les fêtes, c'est pas
vraiment mon truc.

– Je vais l'écrire. Ça serait vraiment le cadeau commun idéal… On pourrait l'organiser autour du thème de la Saint-Valentin !

Je me demande à quel moment elle a arrêté de m'écouter et de tenir compte de mon avis. Je crois que ça fait un bout de temps.

– C'est une super idée, commente maman en déplaçant le pare-feu. Mais ce n'est pas très pratique ici, avec le bed and breakfast…

– Bah, ça ne coûte rien de demander ! répond Summer en souriant. On n'a rien à perdre !

Puis elle se dirige vers la cheminée et jette sa liste dans les flammes. Chacune notre tour, nous l'imitons. Dans la famille, la tradition veut que si elles s'envolent, aspirées vers le haut de la cheminée, c'est signe que nos vœux seront exaucés. Si elles tombent dans le feu, c'est le contraire. La liste de Summer puis celles de Coco et de Cherry s'envolent.

La mienne retombe dans les flammes et se consume en dégageant une fumée bleue. Évidemment.

La veille de Noël, le foyer du théâtre d'Exmoor est bondé de familles sur leur trente et un, qui achètent des programmes ou des boissons en parlant du spectacle. Quand nous avons déposé Summer dans les coulisses, un peu plus tôt, c'était la folie… Des petites filles déguisées en elfes ou en fées couraient dans tous les sens, les lèvres maquillées, les pommettes couvertes de paillettes et les cheveux remontés en petits chignons serrés. Des assistantes ajustaient les costumes, essuyaient les larmes et retrouvaient les chaussons perdus. Et les professeurs comptaient les enfants, vérifiaient leurs listes et criaient des instructions.

Je me souviens très bien de ce sentiment d'excitation, du stress et de l'ambiance hystérique sous le nuage de laque. Avec Summer, on s'habillait, on se faisait coiffer et maquiller, puis on regardait l'horloge du vestiaire un million de fois en attendant notre tour pour monter sur scène.

Comme c'était souvent très long, on mangeait les sandwichs préparés par maman, on lisait des bandes dessinées ou on jouait aux cartes avec les autres filles. On rêvait qu'on attendait le lever de rideau à l'opéra, et qu'on était de grandes danseuses très célèbres dont les photos ornaient les murs du théâtre.

Je me demande si Summer s'en souvient encore.

Cette année, le ballet sera *Cendrillon*. Summer doit danser avec les grandes après l'entracte, pour la scène du bal. Son costume est magnifique : elle porte un long tutu bleu pâle aussi léger qu'un nuage, un diadème en argent dans les cheveux et un petit éventail prolonge sa main.

Pendant la première partie, elle s'occupe des petites, qui jouent des oiseaux bleus et doivent juste battre des ailes, tendre leurs pointes de pied et sautiller un peu. Summer est chargée de les conduire sur scène en tenant la plus petite par la main, et de leur montrer les pas.

– C'est super excitant! lance Cherry, qui boit un Coca en regardant partout autour d'elle. Je n'étais jamais entrée dans un vrai théâtre!

– C'est ma faute, reconnaît Paddy. On allait au cinéma de temps en temps à Glasgow, mais les pièces de théâtre et les ballets, c'est vrai que je n'y avais jamais pensé. Mais là, on connaît la danseuse étoile!

– Elle n'est pas réellement danseuse étoile, précise Coco.

– Elle le sera un jour. Et pour moi c'est déjà une star! répond Paddy.

Seule Honey manque à l'appel : elle a déclaré qu'elle avait déjà vu assez de spectacles de danse comme ça.

– Tu ne veux vraiment pas venir? lui ai-je demandé un peu plus tôt.

– Je ne peux pas, m'a-t-elle expliqué. Il y aura Paddy et Cherry. Je suis désolée, mais c'est impossible.

– Summer va être très déçue.

Finalement, Honey est venue au théâtre le temps de serrer Summer dans ses bras et de lui dire qu'elle était magnifique, puis elle est partie rejoindre ses amis à Minehead.

Nous montons au premier balcon et nous installons à nos places, puis nous attendons en feuilletant le programme que la salle se remplisse. Alors que Cherry est encore en train d'admirer les lourds rideaux rouges et les vieux fauteuils, la musique d'ambiance s'arrête et les lumières s'éteignent.

Le spectacle est toujours conçu de la même manière : les chorégraphes s'inspirent d'une histoire, qu'ils utilisent comme fil conducteur pour que chacun des niveaux puisse faire une démonstration. Cendrillon est incarnée par une grande du cours que Summer intégrera en janvier, et les deux horribles sœurs par des élèves qui ont bien voulu se dévouer pour porter des tonnes de maquillage, des perruques affreuses et des robes en Nylon très moches. Summer nous a confié que le prince venait d'une autre école, parce qu'il n'y avait pas de garçon du bon âge dans la sienne. La vilaine belle-mère est jouée par un homme travesti, un ami de Miss Elise qui travaille au théâtre. C'est aussi le narrateur, celui qui présente les différents numéros en intercalant quelques blagues pour le côté comique.

Quand Summer monte sur scène en tenant par la main l'un des oisillons bleus, je suis si fière que ma poitrine est près d'exploser. Elle se déplace avec grâce, fine et élégante dans son costume, et les petites la regardent avec des yeux pleins d'admiration.

Je sais ce qu'elles ressentent.

J'en repère une au fond qui me ressemble un peu : distraite, elle regarde dans la mauvaise direction, trop occupée à jouer avec sa cape à plumes pour battre des ailes en rythme. À la fin du numéro, quand Summer les emmène, la petite en question trébuche, panique et fond en larmes... Ma sœur accourt, la prend dans ses bras et sort avec elle, sous les vivats et les applaudissements du public.

Je souris en repensant à la petite fille que j'étais et à Summer, toujours là pour me tenir la main et m'aider à me relever quand je tombais. C'est l'avantage d'avoir une sœur jumelle, et cette complicité me manque. On dirait qu'elle s'est doucement étiolée.

Plus tard, c'est au tour du groupe de Summer. Chaque élève porte une robe couleur bonbon pour la scène du bal. J'en connais plusieurs, bien sûr. Je ne suis pas la seule à avoir abandonné en cours de route, mais étonnamment, il n'y a pas que les plus talentueuses qui ont continué. Certaines sont trop raides, d'autres trop lentes, d'autres trop maladroites. Ça ne les empêche pas de tourbillonner sur la scène, le menton en l'air et les bras arrondis au-dessus de la tête. Finalement, peut-être que j'aurais pu continuer la danse moi aussi, si je ne m'étais pas autant sentie dans l'ombre de ma sœur.

Summer est sans hésitation la meilleure. Elle a

même droit à un solo et une valse avec le prince dans son tutu bleu nuage, virevoltant comme si elle était habitée par la musique.

– Ouah ! murmure Cherry à la fin de la scène, pendant que le public applaudit et acclame ma sœur. Elle est incroyable ! Vraiment !

– Je sais, je réponds en souriant.

En fait, c'est comme si je venais seulement de m'en rendre compte : Summer est douée, vraiment très douée pour la danse. Tout le monde sait comment se termine l'histoire de *Cendrillon*, mais, franchement, le prince a eu tort de ne pas choisir ma jumelle.

20

La maison sent les aiguilles de sapin, les tartelettes aux fruits et les épices du vin chaud.
Les murs sont décorés de ribambelles de
cartes de Noël et une montagne de cadeaux de toutes
les couleurs se dresse au pied du sapin. Il y a des
branches de houx et du lierre au-dessus de tous les
cadres.

Dans la cuisine, la table est couverte de nourriture :
des saucisses chaudes, des quiches et toutes sortes
de desserts, du gâteau à la liqueur au pudding de Noël
en passant par une tonne de profiteroles. Tout autour
de la maison, on a posé des lampions fabriqués avec
des petites bougies dans des pots de confiture, et il y
a une énorme couronne de gui et de rubans sous le
lustre du salon. Maman et Paddy ont déjà commencé
à s'embrasser dessous, ce qui est un peu énervant –
mais bon, comme ils vont se marier bientôt, ils ont
le droit.

On a mis un CD de chants de Noël, et même le temps est de la partie : il fait un froid glacial et une épaisse couche de gel recouvre le jardin, qui scintille au clair de lune.

Le bed and breakfast est fermé jusqu'à la fin des vacances, si bien que, pour une fois, on peut utiliser le petit salon et la salle à manger. On risque d'en avoir besoin, vu le nombre de gens qui arrivent.

Maman a invité tout le monde. Millie est là avec ses parents. Joe, le fermier qui nous a prêté sa pelleteuse l'été dernier pour creuser le bassin aux poissons, est venu avec toute sa famille. Il y a aussi plein d'amis de maman et de Paddy.

Summer, Cherry, Coco et moi, des guirlandes dans les cheveux, servons à boire et à manger. Honey porte un grand pull en angora et un short si minuscule qu'on pourrait croire que ses jambes sont bleues de froid, alors que c'est juste la couleur de son collant. Elle a refusé la guirlande qu'on lui proposait, et au lieu de nous aider elle préfère flirter avec le fils de Joe.

On sonne à la porte et je cours ouvrir. C'est Tommy Anderson, accompagné de ses deux adorables petites sœurs et de ses parents hippies. Je les fais entrer et je leur sers du vin chaud et du jus de cranberry.

– Tu as besoin d'un coup de main ? me demande Tommy tandis que j'attrape un plateau de saucisses et de mini-quiches. Je peux me rendre utile, ajoute-t-il.

– Euh… le plus utile, ce serait que tu ne restes pas dans nos pattes, dit Summer en remplissant des gobelets de jus de cranberry.

– C'est joli, cette fleur dans tes cheveux, la complimente Tommy en montrant la petite barrette qui retient la guirlande. Tu l'as eue où ?

– C'est un ami qui me l'a offerte, répond ma sœur qui le bouscule un peu pour passer. Un ami proche.

Tommy s'illumine et sourit de toutes ses dents, mais Summer est déjà loin.

– Tu as entendu ? me chuchote-t-il en attrapant une saucisse. «Un ami proche»! Summer me considère comme un ami proche!

Je soupire.

– Tommy, elle croit que ça vient de quelqu'un d'autre. Ne te fais pas trop d'illusions. Elle a dressé la liste de ses admirateurs potentiels, et tu n'es pas dedans.

– Je sais, mais elle finira par comprendre, insiste-t-il. Et par me remarquer. J'ai changé. En mieux, pas vrai ?

– Ça, oui, je réponds en lui donnant une tape sur la main au moment où il s'apprête à attraper une autre saucisse. Et on peut dire que tu sais ce que tu veux.

– Tu as été géniale, Skye.

Il me suit dans la pièce principale.

– J'ai appris beaucoup de choses grâce à toi. Bientôt, toutes les filles me trouveront irrésistible!

– Chaque chose en son temps, je tempère en essayant de me frayer un chemin parmi la foule d'invités. Il faut y aller progressivement. On a tous quelqu'un qui nous attend, Tommy ; simplement, je ne suis pas sûre que dans ton cas ce soit Summer.

– Mais si. C'est juste qu'elle l'ignore encore. Qui sait ? c'est peut-être pour ce soir. Je vais rester à côté du gui, OK ?

Parfois, la frontière entre détermination et aveuglement est bien mince… et je crois que Tommy vient de la franchir, même si je suis trop sympa pour le lui faire remarquer. Je hausse les épaules et, avec un sourire, je lui tends la dernière saucisse. Puis je m'éloigne.

Deux heures plus tard, presque tous les invités sont déjà partis. J'ai mangé beaucoup trop de tartelettes et dansé sur beaucoup trop de chansons nulles : on peut dire que j'ai vraiment profité de la fête. Dans le salon, des adultes un peu saouls discutent de politique et des sommes astronomiques qu'il faut dépenser pour Noël. Les quelques ados restants sont avachis sur des chaises dans la salle à manger et jouent à « Action ou Vérité », pendant que les enfants finissent les dernières miettes de gâteau et courent dans tous les sens, dopés au sucre.

En rapportant des verres vides à la cuisine, je croise Paddy qui parle avec Joe du régime alimentaire le mieux adapté pour les agneaux orphelins. Un peu plus loin, Fred se cache derrière le canapé pour dévorer le chapelet de saucisses qu'il a réussi à voler, et Honey est dans l'escalier en train d'embrasser le fils de Joe. J'imagine que le photographe de terminale n'est plus d'actualité.

Je pose les verres près de l'évier, attrape un manteau au hasard dans l'entrée et sors dans le noir. L'herbe couverte de gel crisse sous mes pieds tandis que je me dirige vers la roulotte. Elle ressemble vraiment à celle de mes rêves, on s'y croirait presque. C'est pour ça que je sursaute quand j'aperçois une silhouette assise sur les marches.

Mais ça n'a rien à voir avec un rêve.

– Tommy, je murmure. Qu'est-ce que tu fiches là ?

– Je guette les rennes du Père Noël, répond-il du tac au tac. Et toi ?

– Pareil, évidemment, je dis en m'asseyant à côté de lui. La fête se termine. Alors, le gui t'a porté chance ?

– Non. Je suis invisible. Je suis resté planté au-dessous jusqu'à ce qu'une branche tombe de la couronne, et quand je me suis approché de Summer en l'agitant sous son nez… elle m'a envoyé bouler.

– Donc elle n'est pas intéressée…

Tommy sort du gui de sa poche.

– Et toi, Skye, ça te tente ? Ça nous réchaufferait un peu !

Je m'écarte d'un bond, horrifiée.

– Moi ? C'est pas drôle, Tommy. Même si on est sœurs jumelles, je ne suis pas Summer. Tu ne peux pas m'embrasser à sa place juste parce qu'il fait noir et que je lui ressemble !

– D'accord, d'accord, je disais ça comme ça.

– C'est Summer que tu aimes, pas moi ! Ça ne se fait pas, Tommy, vraiment pas. Je crois que tu as encore pas mal de boulot avant de devenir irrésistible.

– Ça coûte rien d'essayer, dit-il en jetant la branche par terre. C'était pas une blague. Je suis seul et toi aussi, et je n'ai jamais embrassé de fille… alors j'ai pensé que c'était l'occasion d'avancer sur un truc, comme pour mes cheveux, les farces ou ma manie d'avaler les saucisses par paquets de dix. On peut s'entraider.

– Mes leçons n'incluent pas les baisers, point barre.

C'est quoi leur problème, aux garçons ? Tommy se trompe sur toute la ligne s'il croit que je vais jouer les lots de consolation. Pourquoi est-ce que je passe toujours après Summer, pourquoi est-ce que je dois me contenter de ses restes ? Quand on était petites, elle me donnait ses vieux jouets, ses poupées et ses livres sur la danse quand elle n'en voulait plus ; maintenant, j'hérite de ses vernis à ongles, de ses écharpes bleues à franges et de ses prétendants.

Finn, au moins, n'est à personne d'autre qu'à moi, même s'il n'existe que dans mes rêves.

– J'aime toujours Summer, explique Tommy. Je sais que c'est la bonne. Mais, de temps en temps, je suis un peu découragé. Je me demande si je ne me fais pas des idées… Si ça se trouve, je n'ai aucune chance. Tu comprendras un jour, Skye, quand tu seras amoureuse toi aussi.

Je serre les dents, exaspérée.

– Qui te dit que ce n'est pas déjà le cas ?

Tommy me dévisage, bouche bée.

– Tu craques sur quelqu'un ? Qui ça ? Dis-moi !

– Je ne peux rien te dire. Tu ne le connais pas. Et de toute façon il ne pourra jamais rien se passer entre nous. Si toi, tu es découragé, moi, c'est encore pire, parce que mon histoire est juste impossible.

– La vache ! répond Tommy, impressionné. Il doit être beaucoup plus vieux que toi, alors, pour que tu dises ça. J'ai raison ?

– Pas du tout, je crois qu'il a mon âge. Peut-être un an de plus. Mais c'est plus compliqué que ça.

Je me tais, plongée dans mes pensées. Il y a quelque chose qui ne colle pas, mais je n'arrive pas à trouver quoi. Ces dernières semaines, malgré l'absence des lettres pour confirmer mes intuitions, j'ai fini par conclure que Finn était un fantôme et que je rêvais de ce qui était arrivé à Clara. Je ne sais pas comment – peut-être que je suis un peu voyante, comme le prétend Mrs Lee, et que l'histoire de Clara est encore attachée à ses robes en velours, son médaillon et ses bracelets.

Sauf que si Clara Travers était amoureuse d'un Gitan, il devait avoir au moins dix-sept ans, comme elle. Voire plus. Et pas treize ou quatorze comme le garçon de mes rêves.

Ce qui veut dire que Finn ne peut pas être le fantôme d'un Gitan mort depuis longtemps… et donc que je l'ai inventé.

Au fond, ça ne change pas grand-chose, qu'il ait existé ou non. Le résultat est le même : je ne pourrai jamais le rencontrer ailleurs que dans mes rêves. Et pourtant l'idée que Finn n'ait jamais été réel me rend un peu triste.

Je soupire dans le noir, et Tommy soupire lui aussi.

21

—**R**éveille-toi, Skye ! hurle Coco en arrachant ma couette. Summer, réveille-toi ! C'est Noël ! On a le droit d'ouvrir les cadeaux !

– Il fait encore nuit !

– Il est huit heures et demie ! On ne s'est jamais levées aussi tard le jour de Noël ! Allez, venez !

– Ça fait des heures que je suis réveillée… avoue Cherry depuis le pas de la porte. C'est mon premier Noël à Tanglewood !

Coco court chercher Honey, et il se produit un vrai miracle de Noël : ma grande sœur se lève, ses cheveux blonds en broussaille, et sort sur le palier après avoir enfilé un grand pull par-dessus sa nuisette.

– Joyeux Noël, dit-elle d'une voix endormie.

On descend toutes ensemble.

Maman et Paddy sont déjà debout. Il n'y a plus aucune trace de la fête de la veille ; Paddy a allumé un feu, branché les guirlandes lumineuses du sapin et mis un CD dans la chaîne hi-fi. Les bas en laine sont posés au pied de la cheminée, pleins à craquer, et la tartelette aux fruits que Paddy avait laissée pour le Père Noël à côté d'un verre de whisky a disparu.

Je ne peux pas m'empêcher de sourire.

Nous vidons nos bas, qui sont remplis de petits cadeaux comme des oranges, des sucreries, du fard à paupières et des chaussettes rayées. Honey nous maquille toutes, même Cherry, et nous nous installons devant le feu pour manger nos bonbons et des quartiers d'orange, nos chaussettes neuves aux pieds. Coco commence alors à loucher sur les paquets entassés sous le sapin, mais maman secoue la tête en disant que nous devons d'abord petit-déjeuner, et que nous avons une demi-heure pour nous habiller avant de nous mettre à table.

Il y a la queue devant la salle de bains, mais on finit par être toutes prêtes dans les temps. J'ai mis plusieurs jupons blancs sous un pull vert mousse et passé les bracelets en argent de Clara à un poignet. Summer porte une jolie robe en mousseline et un gilet rose, et Cherry et Coco ont enfilé un jean et un grand sweat. Honey, fidèle à elle-même, semble tout droit sortie d'un magazine, avec sa petite robe à fleurs et son collant violet, ses yeux tristes soulignés d'un trait d'eye-liner.

À la demande de maman, Paddy a préparé des pancakes pour le petit déjeuner et nous les dégustons avec du sucre, du jus de citron et de la pâte à tartiner au chocolat. Normalement, c'est interdit, mais Cherry a obtenu la permission à titre exceptionnel.

Vient ensuite le moment d'ouvrir les cadeaux.

Maman reçoit une robe et une paire de bottes en daim; Paddy, un jean neuf, une écharpe et des CD. Cherry déballe une guirlande lumineuse pour sa chambre, un ravissant gilet coupe kimono, et un petit Netbook bleu pour écrire ses histoires. Honey a de la peinture, des carnets de croquis et un téléphone portable pour remplacer celui qui est tombé dans une flaque à la plage l'été dernier. Dans ses paquets, Coco trouve un cahier de partitions de violon, un casque de cavalier et des bons pour six leçons d'équitation. Elle est tellement contente qu'elle saute partout.

Summer découvre les chaussons qu'elle a essayés en ville la semaine dernière, plus un jupon en tulle pour ses cours de danse et un pull rose tout doux. Et moi, j'ai le châle à franges brodé de roses que j'avais repéré et un énorme paquet très lourd et tout biscornu, enveloppé dans du papier cadeau orné d'un ruban.

– Attention, me prévient Paddy. Vas-y doucement.

Je déchire le papier et voit d'abord un cône bizarre qui ressemble à un coquillage ou à un clairon géant.

– Qu'est-ce que c'est? demande Coco, le nez froncé.

– Aucune idée !

J'ouvre de grands yeux et défais le reste du paquet. C'est un Gramophone, accompagné de disques de jazz.

– Ouah ! je m'exclame. C'est génial… Il a l'air vraiment vieux ! J'en ai déjà vu en photo !

– Ça, oui, il est vieux, répond Paddy. D'après mes recherches, il pourrait dater des années 1910. Les disques sont des 78 tours… Ils sont très fragiles, méfie-toi. Il y en avait toute une boîte, mais la plupart étaient cassés.

– Tu as dit que tu voulais une surprise, renchérit maman. Quelque chose d'ancien. Là, c'est une vraie pièce de collection !

– Je l'adore !

Paddy me montre comment soulever la petite poignée et l'insérer sur le côté pour remonter l'appareil, puis comment placer un disque dessus et positionner l'aiguille au début. Soudain, le disque se met à tourner, on entend d'abord quelques craquements, puis de la musique étonnamment forte sort du pavillon.

– C'est trop cool ! Vous l'avez trouvé où ?

– Tu ne vas pas me croire : il était dans le grenier avec tout le reste, répond maman. Paddy l'avait rangé dans la remise de l'atelier, et quand tu as demandé une surprise vintage pour Noël… on s'est tout de suite dit que ça te plairait et on l'a amené à réparer !

– Oh oui, ça me plaît!

Du bout des doigts, je caresse le coffre en bois brillant. 1910. Si ce Gramophone était dans la maison depuis tout ce temps, il y a de fortes chances que Clara l'ait utilisé. Est-ce qu'elle a effleuré le bois, remonté le mécanisme et choisi certains de ces disques de jazz? Je l'imagine tourbillonnant dans une robe charleston, avant que le monde referme son étau sur elle et qu'elle cesse de danser.

Je croise le regard de Summer. Elle est toute pâle.

– Il était à elle, c'est ça?

Elle pose la main sur le coffrage en noyer.

– À Clara. Je le sais. Il dégage une impression de tristesse… comme ses robes et son violon. Vous ne le sentez pas?

Maman éclate de rire.

– De la tristesse? Pas vraiment, non.

– Ça fiche la trouille, dit Coco.

Honey lève les yeux au ciel.

– C'est juste un vieux truc, sans vouloir vous vexer. C'est joli, ça a sans doute un peu de valeur, mais, franchement, je ne vois pas ce qui peut vous faire flipper.

Maman prend Summer par les épaules.

– Ce ne sont que des objets, ma chérie, de très beaux objets. Ils ne renferment pas de souvenirs ni de sentiments. J'ai l'impression que ces stupides histoires de fantômes t'ont effrayée. Tu sais bien que ça n'a aucun sens !

— Je ne crois pas aux fantômes, jure Summer. Je ne suis pas folle ! Mais je trouve que toutes ces vieilleries ont quelque chose de bizarre. Ça me met mal à l'aise.

Quand le disque se termine, je le soulève doucement pour le ranger dans sa pochette.

— Je suis super contente, je confirme à maman et Paddy. Vraiment. Mais je ne m'en servirai pas quand tu seras là, Summer, promis.

Un silence gêné s'installe.

— Il reste encore un cadeau pour vous deux, annonce maman en nous regardant, Summer et moi. Vous avez parlé d'une fête d'anniversaire. Et comme treize ans est un âge important, on s'est dit… pourquoi pas ? Ça devient compliqué d'organiser de grosses fêtes ici, à cause du bed and breakfast, mais Paddy a prévu de louer la salle polyvalente pour ne pas déranger les hôtes…

— C'est pas vrai ! s'écrie Summer, qui en oublie aussitôt ses idées noires. Une fête ! Une vraie fête pour nos treize ans ! Sérieux, c'est le plus beau de tous les cadeaux ! Merci !

— Merci, je répète, pendant que Summer se jette au cou de maman puis de Paddy.

Je parviens à esquisser un petit sourire tremblant. J'ai l'impression que je viens de déballer un horrible gilet orange et turquoise deux fois trop petit tricoté par une grand-tante qui voulait bien faire. Un réveillon de Noël, c'est chouette, mais une fête d'anniversaire… Summer et moi allons être le centre de l'attention et je n'ai pas du tout envie de ça. En plus, il me semble que j'ai été claire quand Summer en a parlé. Le problème, c'est que mon avis n'a pas beaucoup de poids quand elle est dans les parages.

– On va tout organiser, dit-elle. Dresser la liste des invités, envoyer des cartons… décorer la salle. Oh, ça va être trop bien ! J'ai super hâte ! Hein, Skye, c'est génial, non ?

– Oui, génial.

J'essaie de prendre un ton un peu enthousiaste. Je sais que maman et Paddy pensaient nous faire plaisir. Et puis Summer a retrouvé le sourire, ce qui veut dire que je peux arrêter de culpabiliser à cause du phonographe.

Maman commence à ramasser et à plier les papiers cadeau et Paddy s'éclipse, soi-disant pour chercher quelque chose dans l'atelier. Quand il revient, il adresse un clin d'œil à maman. Ils mijotent quelque chose, tous les deux.

– Coco ? appelle maman. Il y a encore un cadeau pour toi… Il est dans la cuisine.

Coco n'en croit pas ses oreilles.

– C'est quoi ? Un poney ?

Paddy éclate de rire.

– Va voir dans la cuisine.

– On ne sait jamais, continue Coco. Ma copine Amy dit que vous êtes très excentriques, maman et toi, alors tout est possible !

Elle se précipite dans la cuisine et tout le monde lui emboîte le pas. En arrivant à la porte, on entend un petit couinement et je commence à me demander si l'idée du poney est si invraisemblable.

En fait, il n'y a qu'une grande boîte en carton devant la cuisinière. Nous nous pressons autour et, soudain, le couinement reprend. Pas de doute cette fois, il s'agit d'un bêlement.

– Un agneau ! s'écrie Coco. Un petit bébé agneau !

– Il a perdu sa maman, explique Paddy. C'est une petite femelle qui est née hier chez Joe. Tous les ans, il a quelques agneaux qui naissent début janvier, mais celui-là est vraiment précoce et la mère n'a pas survécu. Joe n'a pas de mère adoptive à qui le confier, ni le temps et l'espace de l'élever lui-même. Alors on a pensé que peut-être…

– Oh oui ! hurle Coco en se penchant pour prendre la toute petite agnelle dans ses bras. Oh, merci, merci !

22

Après, c'est l'effervescence à la maison : Coco apprend à préparer des biberons pour l'agnelle, Paddy coupe des légumes pendant que maman prépare le déjeuner, et Fred n'arrête pas de passer la tête par-dessus le bord du carton pour renifler la nouvelle venue.

Paddy tente d'expliquer que le bébé ne pourra pas rester dans la cuisine après la réouverture du bed and breakfast, et qu'il a nettoyé l'ancienne remise à côté de l'atelier, mais Coco ne l'écoute pas. Elle finit par envelopper l'agnelle dans une couverture et l'apporter dans le salon, où Cherry, Summer et moi sommes en train de manger des bonbons en lui cherchant un nom et en regardant un film de Noël à la télé.

– Pourquoi pas Flocon ? je propose. Il faut que ça fasse penser à l'hiver.

– Ou Boule de poils, dit Summer, parce que c'est ce qu'elle est.

– Ou bien Brochette ? ajoute Cherry pour rire – et Coco lui jette un coussin à la figure.

L'agnelle pousse un long bêlement plaintif au moment précis où dans le film quelqu'un dit «Joyeux Noël !». On tombe toutes d'accord : c'est comme ça qu'il faut l'appeler, évidemment.

On s'amuse tellement qu'on pourrait croire qu'on est une vraie famille. J'en oublie presque le malaise qui m'habite depuis quelques mois. Presque.

C'est alors que Honey nous appelle depuis la salle à manger.

– Les filles ! J'ai papa sur Skype ! Venez vite lui parler !

Summer et moi la rejoignons en courant, suivies par Coco qui tient toujours Joyeux Noël dans ses bras. Honey a installé l'ordinateur portable de maman sur l'une des tables du petit déjeuner. La Webcam montre, plein écran, le visage de papa, souriant et bronzé dans une chemise bleue. Mon cœur se serre, je ne sais pas trop pourquoi.

– Il veut vous parler, dit Honey, ce qui sous-entend qu'elle ne nous aurait pas appelées autrement.

– Papa ! s'exclame Summer. Comment ça va ? Il fait chaud chez toi ?

– Joyeux Noël ! lance Coco. Et c'est aussi le nom de mon agnelle !

Honey me donne un petit coup de coude, mais je

me contente de sourire en me mordant les lèvres et en essayant de ne pas pleurer.

– Mes filles, dit papa avec un grand sourire. Laissez-moi vous regarder !

Il se penche un peu et l'image devient floue, puis il reprend sa place.

– Summer ! Skye ! Vous avez tellement grandi ! Vous allez bientôt avoir douze ans, c'est ça ?

– Treize, je souffle, la gorge serrée de constater que notre propre père ne connaît même pas notre âge.

– Je n'arrive pas à y croire. Et Coco… toujours dingue des animaux, si je comprends bien ! Où est-ce que tu as eu cet agneau, alors ?

– C'est mon cadeau ! explique Coco.

Papa demande si notre mère a perdu la tête.

– Il est quelle heure en Australie, papa ? enchaîne Summer.

– C'est le soir… Noël est presque fini ici. On est allés pique-niquer à la plage. Vous vous plairiez ici, les filles ! Il fait toujours beau. Il faudra que vous veniez me voir !

– On viendra ! promet Honey, tout sourire. Tu as reçu nos cadeaux ?

– Oui, oui… c'était super, merci ! bredouille-t-il, comme s'il ne se souvenait même plus de ce qu'on avait mis si longtemps à choisir, fabriquer ou acheter – le colis était prêt dès le 1er décembre, parce que nous préférions prendre de l'avance pour être sûres qu'il arrive avant Noël.

– Je n'ai pas eu le temps de vous acheter quelque chose, s'excuse-t-il. Je n'ai pas encore bien pris mes marques ici… Je vous enverrai de l'argent !

– Est-ce qu'on pourra venir te voir bientôt ? insiste Honey. Je meurs d'envie de découvrir l'Australie, c'est sûrement mieux que ce trou. Quand est-ce que ça t'arrangerait ?

Il rit.

– Attends un peu qu'on soit confortablement installés. Comme ça, ta mère aura le temps d'économiser pour payer les billets !

Honey se décompose. Nous savons toutes que papa gagne très bien sa vie, alors que maman a du mal à joindre les deux bouts, entre ce qu'elle dépense pour nous et le remboursement du prêt pour la création de *La Boîte de Chocolats*. Si elle doit payer les billets, ce n'est pas demain la veille qu'on ira le voir.

Papa étouffe un bâillement.

– Bon, les filles, je suis content de vous avoir parlé, mais je dois y aller… J'ai des choses à faire… Joyeux Noël !

– Est-ce que tu veux qu'on te passe maman ? demande Honey. Je peux aller la chercher.

– Non, pas la peine. Je lui téléphonerai bientôt…

On entend quelqu'un parler derrière lui et papa

sourit, puis il nous dit au revoir de la main et l'écran devient noir. Il a raccroché. On reste toutes plantées là, un peu perdues.

– Des choses à faire ? s'étonne Summer.

Je la prends par les épaules et elle s'essuie les yeux du revers de la main, avec un petit sourire courageux. Pour la première fois depuis des mois, je me dis qu'on n'est pas si différentes, après tout.

– Il n'était pas seul, dit Coco en fronçant les sourcils. Et, vous avez remarqué, il n'arrêtait pas de dire « on ». « On est allés pique-niquer à la plage », « attends un peu qu'on soit confortablement installés »... Vous croyez qu'il a une copine ?

– Impossible, réplique Honey. Ce n'est pas son genre.

Moi, je suis sûre que si.

Vient ensuite le repas de Noël, où il n'y a pas de choux de Bruxelles et où on mange du cacke aux marrons en l'honneur de Coco. L'impression désagréable et un peu triste laissée par la conversation avec papa disparaît petit à petit. On décide de relancer Skype, cette fois pour parler à Mamie Kate et à son mari Jules, qui sont restés en France.

Maman pose l'ordinateur sur la table basse et toute la famille s'installe sur les gros canapés bleus, y compris Joyeux Noël. L'année dernière, Mamie Kate et

Jules étaient venus passer Noël avec nous, mais cette année il faudra attendre le mariage pour les revoir.

Mamie nous a envoyé un colis plein de cadeaux sur lequel elle a écrit «Ne pas ouvrir avant d'en avoir reçu l'autorisation» : elle voulait voir nos têtes quand on les déballerait. Devant la Webcam, Mamie Kate et Jules mangent les chocolats qu'on leur a postés, puis ils font les clowns avec leurs écharpes et leurs bonnets neufs.

C'est un peu bruyant : tout le monde parle en même temps et se souhaite un joyeux Noël, pendant que l'agneau bêle de toutes ses forces. On ouvre enfin nos cadeaux : ce sont des bracelets en argent décorés de petits pendentifs personnalisés. Honey a une palette de peintre, Coco un fer à cheval, Cherry des cerises, Summer une paire de chaussons de danse, et moi un petit oiseau.

Mon cœur fait un bond dans ma poitrine.

– Je suis désolée, Skye, j'ai un peu manqué d'inspiration pour le tien, s'excuse Mamie. Je cherchais quelque chose qui fasse un peu ancien, et quand j'ai vu cet oiseau, j'ai tout de suite pensé à toi. Je ne sais pas pourquoi, mais… ça m'a plu !

Elle n'aurait pas pu mieux tomber.

– Je l'adore ! je m'exclame. Il est parfait !

Aussi parfait que l'oiseau qui accompagne toujours Finn.

23

Sous le soleil couchant, Finn et moi montons la colline derrière le village, précédés par le grand chien fauve. Nos ombres s'étirent sur l'herbe parsemée de pâquerettes. Il fait bon. Le chemin grimpe, et Finn me prend la main pour m'aider à atteindre le sommet.

La brise soulève nos cheveux et s'engouffre dans nos vêtements. Nous contemplons le village en contrebas, et l'océan qui s'étend jusqu'à l'horizon au-delà de la baie. Nous nous asseyons un moment pour parler, main dans la main, pendant que le ciel vire au rose, au jaune et au doré et que le soleil plonge doucement dans la mer.

Dans mes rêves, il n'y a ni fête d'anniversaire à préparer, ni meilleure amie obsédée par les garçons, ni grande sœur colérique qui part à la dérive, ni copain amoureux de ma jumelle si parfaite. Pas étonnant que je les préfère largement à la réalité. Le monde y est beaucoup moins stressant.

L'après-midi du Nouvel An, pendant que le reste de la famille se pelotonne sur les canapés pour regarder l'intégrale de *Harry Potter* en DVD, je me réfugie dans ma chambre pour chercher encore une fois les lettres perdues. Je fouille à nouveau le bureau, la malle et les tiroirs de la coiffeuse. Je regarde sous le lit, dans l'armoire et sur les étagères, sans succès. On dirait qu'elles n'ont jamais existé.

Summer passe la tête par la porte.

– Skye ? Tout va bien ?

– Je cherche les lettres de Clara.

J'ai déjà interrogé Summer une ou deux fois depuis leur disparition, mais elle a toujours prétendu n'avoir aucune idée de l'endroit où elles pourraient se trouver. Elle devient tellement bizarre dès qu'on parle de Clara que j'ai préféré ne pas insister. Mais je vérifie une dernière fois.

– Summer, tu es sûre de ne pas les avoir vues ?

– Je n'en sais rien, je te dis. Je ne me souviens plus. Peut-être que maman les a jetées ?

Je regarde la poubelle.

– Ça m'étonnerait. Ce n'est pas son genre, si ?

– Elle n'a peut-être pas fait exprès. Elle était tellement débordée ces dernières semaines, elle n'a pas dû faire attention. Enfin, tu veux bien oublier ces fichues lettres, Skye, s'il te plaît ? Franchement, tu ne penses plus qu'à ça ! Viens avec nous en bas, on s'apprête à regarder *Harry Potter et le Prisonnier d'Azkaban*. Maman a préparé du pop-corn...

Je la suis pour éviter les histoires, et on finit par rester debout jusqu'à minuit, les yeux rouges d'avoir trop regardé la télé et le ventre plein de pizza et de pop-corn. Quelques secondes avant les douze coups, on sort en courant dans le jardin pour se souhaiter la bonne année en chantant sur les grincements du violon de Coco. Ça fait un peu mal aux oreilles, mais c'est plutôt chouette. Tout le monde est là, sauf Honey, qui est allée à une soirée au village et n'est pas encore rentrée.

On aperçoit des feux d'artifice au loin et les étoiles brillent au-dessus de nos têtes tandis que nous nous étreignons en riant et en essayant de supporter le son du violon de Coco.

– Je vais m'entraîner encore plus, promet-elle quand nous rentrons nous coucher. C'est ma bonne résolution.

– Super, commente Cherry, polie.

– Je deviendrai peut-être une violoniste célèbre.

– C'est l'heure de dormir, petite tête, je conclus. Et bonne année à toutes !

– Bonne année ! me répondent mes sœurs en chœur. Bonne nuit !

Au moment où Summer et moi nous apprêtons à nous mettre au lit, les grincements reprennent. On dirait que notre petite sœur fait crisser ses ongles sur un tableau noir, ou qu'une horde de sorcières s'approche en hurlant.

– Oh non ! je gémis. Elle recommence avec son satané violon !

– C'est pas vrai, grogne Summer. J'aurais préféré que Paddy ne trouve jamais tous ces trucs dans le grenier. On s'en serait bien passé. Entre toi qui portes ces robes affreuses et Coco qui nous casse les oreilles… On croirait qu'elle est en train de tuer quelqu'un !

Et elle enfouit sa tête sous son oreiller.

– C'est horrible, se plaint-elle d'une voix étouffée. Faites que ça s'arrête !

Mais Coco n'arrête pas.

– Laisse-la, je dis à Summer. Cherry ne doit pas l'entendre aussi fort que nous, et Honey n'est pas là… Quand veux-tu qu'elle répète sinon, puisqu'il y a toujours des clients ? Elle peut bien s'amuser cinq minutes.

Ma sœur repousse son oreiller et se bouche les oreilles. Mon cœur s'arrête de battre.

Je viens d'apercevoir le coin d'une enveloppe.

– Summer ! je m'écrie, la voix tremblante. C'est quoi, là, sous ton oreiller ?

– Hein ?

Elle me regarde avec des yeux de lapin traqué.

Je m'approche de son lit et j'attrape le paquet de

lettres attachées par un ruban et adressées à Clara Travers. L'écriture est nerveuse et un peu penchée.

– Les lettres ! Tu m'as juré que tu ne les avais pas vues, alors que c'est toi qui les avais depuis le début ! Tu m'as menti !

– Je ne voulais pas les garder ! se défend Summer, rouge de honte. C'était juste de la curiosité. Tu es tellement obsédée par cette idiote de Clara Travers. Il n'y a plus que ça qui t'intéresse. C'est bizarre quand même, non ? J'en ai lu une ou deux, mais ce n'était pas très intéressant…

– Tu as juré que tu ne les avais pas vues et dit que maman avait dû les jeter !

– J'aurais préféré.

– Je ne comprends pas. Pourquoi tu m'as menti ?

Ses yeux jettent des éclairs.

– J'étais inquiète, d'accord ? Tu as changé depuis que tu as récupéré ces vieux trucs. Tu sais très bien que ça ne me plaît pas, mais tu t'en fiches, et maintenant que tu as cette saleté de Gramophone, c'est encore pire ! J'ai la trouille, Skye. Tu te souviens de ton rêve, celui avec Clara et les Gitans ? Tu étais dans tous tes états en te réveillant. Alors j'ai pris les lettres, parce que je me faisais du souci pour toi. Tu passes ton temps à regarder au loin, l'air rêveur, comme si tu avais un secret. Ça me fait peur. Avant, on n'avait jamais de secret l'une pour l'autre !

– Avant, tu ne me mentais pas.

– Mais bon sang! crie Summer en me tournant le dos. J'en ai marre de ce bruit, ça me donne mal à la tête!

Elle attrape un vieux lapin en tricot que nous avons depuis que nous sommes toutes petites et le balance contre la porte. Coco continue à faire grincer son violon.

– Je ne plaisante pas. Je vois bien que tu me caches quelque chose.

Je suis incapable de soutenir son regard. C'est vrai que je lui cache des choses, bien plus qu'avant. Je ne lui ai pas parlé de Finn, le garçon qui est peut-être un fantôme. Ni de Tommy, qui l'aime en secret. Ni de mes doutes à propos de Millie. Et, surtout, je ne lui ai jamais dit que j'avais l'impression de vivre dans son ombre.

Je ne sais pas quoi faire. Je n'ai pas envie qu'elle sache pour Finn, parce que j'y tiens et que je ne supporterais pas qu'elle me fasse une scène sous prétexte que je suis amoureuse d'un fantôme. Pour ce qui est de Tommy, j'ai promis de garder le secret et je ne reviendrai pas sur ma parole. Et comment expliquer à Summer ce que je ressens au sujet de Millie, alors qu'elle fait partie du problème?

Mes yeux se remplissent de larmes, mais je refuse de pleurer.

– Je n'aurais pas dû garder les lettres… c'était ridicule, je sais, reprend Summer. Mais… on dirait que tu t'intéresses plus à Clara qu'à moi, depuis Halloween. Des fois, j'ai peur de te perdre. Tu es toujours fourrée avec Cherry ou avec cet abruti de Tommy Anderson, ou alors tu rêvasses devant ton Gramophone et tes robes, l'esprit occupé par une fille qui est morte depuis cent ans. Ça m'énerve! Avant, tu m'écoutais, tu avais besoin de moi…

Tout à coup, la colère m'envahit. Depuis toujours, la seule chose qui compte, c'est ce que Summer veut et ce dont Summer a besoin. Elle ne va quand même pas m'en vouloir de passer du temps avec Cherry, notre demi-sœur, ou avec Tommy, dont elle n'a rien à faire! Summer ne manque pas d'amis. Elle a même réussi à s'approprier Millie… ma meilleure amie.

Au début, une partie de moi a vraiment cru que Tommy m'aimait bien, et même si je préfère largement avoir un être imaginaire qu'un clown pour petit copain, ça fait un peu mal de constater qu'il craque pour ma sœur. Moi, je suis Skye la bonne copine, celle qui porte des vêtements bizarres, sur qui on peut compter et à qui on peut se confier, celle qui a momifié une Barbie avec du papier toilette il y a longtemps. Pas étonnant que Tommy ait choisi l'autre jumelle.

Je ne suis pas très fière de lui en vouloir comme ça. Pour être honnête, il y a aussi un peu de jalousie de ma part. Summer est la plus douée de nous deux, celle que tout le monde admire.

De l'autre côté de la porte, les grincements désaccordés du violon continuent en fond sonore. La dernière personne à avoir joué sur cet instrument, avant Coco, était peut-être Clara Travers. Je frémis à cette idée.

– J'ai un mauvais pressentiment, conclut Summer. À propos de cette histoire, de ces lettres, de ces vêtements… et puis moi aussi, j'ai fait un rêve. Un rêve très étrange…

Ma colère s'évanouit et mon cœur s'arrête.

– Vraiment ? je murmure. Quel genre de rêve ?

Si les jumelles partagent les mêmes pensées et les mêmes sentiments, peut-être qu'elles peuvent partager les mêmes rêves ?

Mais les yeux de Summer sont pleins de larmes.

– Ce n'était pas vraiment un rêve, plutôt un cauchemar. J'ai beau savoir que c'est impossible, ça avait l'air tellement réel… Je ne sais pas comment l'expliquer…

– Un cauchemar ?

Elle se mord les lèvres.

– C'était horrible. J'ai rêvé de Clara Travers, et elle portait la robe verte et le manteau de la malle. Elle courait dans les bois et cherchait quelqu'un… elle pleurait… mais quand elle s'est retournée pour me regarder, j'ai vu que ce n'était pas Clara. C'était toi. Ensuite, le décor a changé : tu étais sous l'eau et tu te débattais pour ne pas te noyer. Je t'appelais, mais tu ne m'entendais pas. C'était vraiment horrible, Skye, je te jure…

J'ai la chair de poule et un frisson me parcourt le dos. Ce genre de rêve inquiéterait n'importe qui.

– Je te crois. Mais ce n'était pas réel, Summer. C'était juste un cauchemar.

– Ça avait l'air vrai ! On aurait dit un mauvais présage ! Je sais que ça paraît dingue, mais si jamais le fantôme existait vraiment ? Et si Clara t'en voulait de porter ses robes ? Si elle était morte dans cette robe verte et essayait de te pousser à l'imiter ?

Moi aussi, je me suis demandé si les rêves pouvaient être des échos du passé, ou une façon pour Clara de s'adresser à moi et de m'entraîner dans son histoire. Sauf que ça ne m'avait encore jamais fait peur. Mais si Summer avait raison ? Si j'étais en danger ?

Est-ce que Clara pourrait m'en vouloir de porter ses robes en velours et de tomber amoureuse de son Gitan ? Est-ce que mes rêves risquent de tourner au cauchemar, est-ce que je vais me noyer et mourir ? Pas étonnant que ma sœur déteste tant mes vieux vêtements et mon Gramophone.

– Hé, je dis en m'asseyant à côté d'elle. Clara ne portait ni la robe verte ni le manteau quand elle est morte… sinon ils ne seraient pas là. Rappelle-toi qu'on n'a jamais retrouvé son corps.

– Oui, sans doute…

– Et puis on ne croit pas aux fantômes. On s'est monté la tête toutes seules. Maman et Paddy sont tombés sur la malle le soir de Halloween, alors qu'on venait de raconter cette histoire. Reconnais qu'on a toutes les deux beaucoup d'imagination. Et ça ne nous rend pas toujours service !

Summer acquiesce et prend une grande inspiration.

– Skye… est-ce que tu rêves encore de Clara ?

Bien sûr que oui. Toutes les nuits maintenant, les rêves reviennent, aussi doux et sucrés que de la guimauve, et je ne sais plus si je suis Clara Travers ou Skye Tanberry. Mais je ne suis pas sûre que Summer ait besoin de le savoir.

– Non, je mens. C'est fini.

Le parquet grince derrière la porte. Honey vient de rentrer et tambourine à la porte de Coco en lui ordonnant d'arrêter ce bazar. Enfin, le violon se tait.

J'essuie les larmes de Summer.

– Allez, c'est une nouvelle année qui commence. Ne nous disputons pas.

– Non, répond Summer. Je déteste ça.

J'espère vraiment que toutes les tensions et les jalousies qui nous séparent vont disparaître. Un nouveau départ : voilà ce dont nous avons besoin.

24

Bien plus tard cette nuit-là, pendant que Summer dort, j'allume ma lampe de chevet pour lire les lettres. Je suis sûre qu'elles renferment la clé du mystère. Qui est Finn ? Est-ce que Clara est tombée amoureuse de lui ? Que s'est-il passé entre eux à la fin ? Et pourquoi suis-je en train de revivre leur histoire ?

Je repense aux paroles de Summer, qui m'a reproché d'être obsédée par Clara. Je sais bien qu'elle a raison. Le monde de mes rêves est si doux et si réconfortant, comme les Chamallows... et comme avec les Chamallows, il est difficile de s'arrêter une fois qu'on y a goûté. Même moi, ça commence à m'inquiéter. Plus ça va, plus je me dis que les rêves ne s'arrêteront que lorsque j'aurai trouvé des réponses à mes questions...

Sauf que, bien sûr, les lettres ne sont pas de Finn. Un Gitan comme lui, toujours sur les routes et qui n'était vraisemblablement jamais allé à l'école, ne devait pas trop aimer écrire. Ce sont des lettres de Harry, l'homme au visage sévère dont la photo se trouve dans le médaillon. Des lettres d'amour vieillottes, guindées et très ennuyeuses.

Je comprends peu à peu. Harry et Clara se sont rencontrés à Londres chez des amis communs. Il est venu la voir chez elle, l'a emmenée en balade dans son Austin Twenty, puis il y a eu des dîners, des fêtes, des soirées au théâtre et des cadeaux : un médaillon, un poudrier au couvercle décoré de papillons, et une linotte apprivoisée dans une cage bleu ciel.

Je m'arrête. Mais alors... De l'autre côté de la chambre, la cage en fer forgé est là, dans le noir, les feuilles de la plante grimpante se détachant dans le clair de lune. La cage à oiseau appartenait elle aussi à Clara. Summer a dû arrêter de lire avant de le découvrir. Sinon, comment aurait-elle réagi ?

Je reprends ma lecture.

Le dernier cadeau de Harry est une bague de fiançailles. Dans ses lettres suivantes, il parle de mariage et de faire venir Clara à Londres. Il lui explique qu'il faudra limiter les soirées au théâtre et les fêtes, car, naturellement, il y aura un budget à respecter, une maison à tenir, et des enfants à élever.

Je frissonne. Est-ce qu'en regardant la linotte apprivoisée dans sa cage Clara se sentait elle aussi prisonnière ? Je ne sais pas vraiment à quoi ressemble une linotte, mais d'après ce que je lis c'est un joli petit oiseau coloré au chant mélodieux. Ça me paraît un peu surprenant de vouloir garder en cage un oiseau sauvage, mais peut-être qu'à l'époque les choses étaient différentes. C'était peut-être aussi normal que de se marier à dix-sept ans.

Quelles que soient les raisons pour lesquelles Clara a accepté ces fiançailles, plus je lis, plus j'ai l'impression qu'elle s'est retrouvée prise au piège. Est-ce aussi ce qu'elle ressentait ? Est-ce pour cela qu'elle est tombée amoureuse d'un Gitan avec qui elle pourrait vivre sur les routes ?

Je replie les lettres, les attache avec le ruban et éteins ma lampe. Ma sœur a sans doute raison : je m'accroche un peu trop à cette vieille histoire triste et aux ombres du passé. Le cauchemar de Summer m'inquiète, pas parce qu'il ressemble à un mauvais présage, mais parce qu'il prouve que les choses vont trop loin.

Je passe beaucoup trop de temps à penser à Clara, à porter ses vêtements et à imaginer sa vie, son histoire, le garçon qu'elle aimait et l'homme qu'elle ne voulait pas épouser.

Si je voulais à tout prix retrouver les lettres, c'est parce que je pensais qu'elles m'aideraient à comprendre… En réalité, le mystère ne fait que s'épaissir.

Je dois découvrir qui est Finn et pourquoi il hante mes nuits, car tant que je n'en saurai pas plus, je serai incapable de tourner la page.

25

Le mois de janvier paraît interminable. Il fait gris, froid et humide, et même les profs sont grincheux et déprimés, à part Mr Merlin, qui a collé une affiche de *Retour vers le futur* derrière la porte et s'amuse à porter une blouse blanche pour ressembler à Doc. Sauf que ça ne lui va pas vraiment.

Ce qui est drôle, c'est qu'il est passé du statut de souffre-douleur à celui de chouchou des élèves.

– Il est cool, a décrété Tommy.

Reste à savoir si c'est lié à l'histoire du sac qui a volé par la fenêtre ou si c'est juste parce que Tommy est fan de *Retour vers le futur*.

Bien sûr, il continue à taquiner Mr Merlin de temps en temps.

– Vous n'avez pas vu Arthur, monsieur Merlin ? demande-t-il régulièrement en parlant d'un des élèves.

À mon avis, il rêve que Mr Merlin réponde : «Non, mais va voir à la Table ronde si j'y suis!»

Une ou deux semaines après la rentrée, Mr Merlin nous annonce un contrôle surprise. Tout le monde grogne, parce que personne n'a révisé, mais il nous rassure en expliquant qu'il s'agit d'un quiz dont les questions ne concernent pas forcément le programme.

Le meilleur d'entre nous gagnera une énorme barre de chocolat, et on peut utiliser tout ce qu'on veut pour trouver les réponses, du moment qu'on reste dans la classe.

– Le but de ce quiz, c'est de vous prouver que l'histoire peut être amusante. Vous allez voyager dans le temps. Même sans machine, il y a des tas de façons de dévoiler les secrets du passé. Les livres, les lettres, les photos, les tableaux, les objets… tout cela peut vous aider. Vous allez devenir des détectives du temps : utilisez tous les indices à votre disposition pour résoudre l'énigme.

Je n'en crois pas mes oreilles. Un «détective du temps» : voilà ce que je rêve d'être pour pouvoir éclaircir le mystère de Clara et de Finn. Comme dit Mr Merlin, le tout est de trouver les bons indices. Maintenant que je sais que les lettres ne serviront à rien, il me faut autre chose.

Dans la classe, c'est la folie : tout le monde se jette

sur les trois ordinateurs et on sort les livres et les boîtes de fiches du placard.

– Est-ce qu'on peut utiliser nos téléphones ? demande Tommy.

Mr Merlin accepte, à condition qu'on reste discrets, au cas où Mr King entrerait sans prévenir (en théorie, on n'est pas censés s'en servir à l'école).

– Cool ! se réjouit Tommy en sortant son iPhone pour se connecter à Google, pendant que d'autres appellent déjà chez eux et mettent leur parents à contribution.

Je commence à lire les questions d'un œil distrait, la tête ailleurs.

Quel chef d'État anglais a voulu abolir Noël ?
Qui était Guillaume le Conquérant ?
Qu'est-ce qu'un paléontologue ?

Mr Merlin croit aux voyages dans le temps et il est persuadé que nous sommes tous des détectives en puissance. Si quelqu'un peut m'aider à démêler le vrai du faux dans l'histoire de Clara, c'est bien lui. J'abandonne mon questionnaire et je m'approche de son bureau.

– Tout va bien, Skye ? me demande-t-il en me regardant par-dessus ses lunettes. Tu n'as pas déjà fini, quand même ?

– Euh… oui, ça va, monsieur.

Pour une fois, mes camarades ont l'air aussi passionnés que moi par l'histoire. Millie porte un casque de Viking en papier mâché déniché dans le placard à accessoires et Summer virevolte à travers la pièce, vêtue d'une cape rouge et d'une couronne. Il y a des élèves assis un peu partout sur les tables, le téléphone à la main ou plongés dans des livres, tandis que d'autres se pressent autour des ordinateurs, déguisés avec des cottes de mailles ou des hauts-de-forme en carton.

– C'est Cromwell, j'en suis sûr, dit quelqu'un. Mon père en a parlé pendant les vacances...

– Ça veut dire quoi, «conquérant», au fait?

– Attends, attends, je regarde sur Google...

– La paléonthologie, c'est l'étude des oiseaux, non?

– Non, ça, c'est l'ornithologie. Rien à voir avec l'histoire...

Si Mr King passait la tête par la porte, il se demanderait ce que c'est que ce bazar. Moi, je trouve ça plutôt chouette.

Mr Merlin me dévisage toujours.

– Alors, Skye? Je peux t'aider?

– Je n'ai pas encore fini le quiz, monsieur, mais... je voulais vous poser une question...

– Je t'en prie.

D'un coup d'œil, je vérifie que personne ne nous écoute.

– Est-ce que vous croyez aux fantômes, monsieur ?

Mr Merlin hausse les sourcils.

– C'est une question complexe. Pour ma part, je n'en ai jamais vu, Skye. Mais je n'exclurais pas leur existence pour autant. Une chose est sûre, l'histoire peut laisser son empreinte sur le présent. Pourquoi, tu as vu quelque chose ?

Je rougis. En réalité, je n'ai rien vu. Un rêve est très différent d'une silhouette blanche qui traverse les murs et provoque des courants d'air. D'ailleurs, j'ai été la première à dire à Summer que les fantômes n'existaient pas.

– Non, non, bien sûr que non. C'est juste qu'il y a une histoire de fantômes dans notre famille et que j'aimerais en savoir plus. Je voudrais connaître les détails, mais je ne sais pas où chercher… ni à qui m'adresser. Enfin, peut-être qu'il n'y a rien à trouver…

– Cela remonte à quelle période ? S'il s'agit du XIXe ou du XXe siècle, tu devrais aller au musée de Kitnor. Il possède pas mal d'archives. Des registres paroissiaux qui répertorient les naissances, les mariages et les décès… de vieux hebdomadaires… Il y a même des journaux intimes et des livres de comptes. Je ne te promets rien, mais il y aura peut-être quelque chose lié à ton histoire de fantômes.

– Merci, monsieur ! Je vais essayer.

– Youpi ! s'écrie Tommy depuis le fond de la classe,

oubliant l'espace d'un instant sa nouvelle image de garçon sage. J'ai fini, monsieur ! La barre de chocolat est pour moi !

Rien que ça, c'est déjà un petit miracle.

Je ne suis pas allée au musée de Kitnor depuis l'âge de neuf ou dix ans. Il est petit, poussiéreux et désert, avec d'étranges mannequins des années soixante habillés en contrebandier, en bandit de grand chemin ou en dame noble. Il contient de vieilles photos, des tableaux, quelques meubles et une collection de vaisselle, de dentelles, et de pipes en argile cassées présentées dans des vitrines.

À la fin des cours, je me débrouille pour m'éclipser sans que personne ne me voie. Summer a un cours de danse et Millie ne me propose plus jamais de m'accompagner à Tanglewood ou de traîner dans le village. L'avantage, c'est que je n'ai pas besoin d'inventer une excuse.

Le temps d'arriver au musée, c'est presque l'heure de la fermeture. Il n'y a personne, à part une dame souriante, brune et frisée, qui trie de vieux papiers à son bureau. Je me retiens de rire en la voyant piocher un chocolat dans une boîte posée à côté d'elle, car elle vient de chez nous.

– Excusez-moi, je commence. Je me demandais si vous pouviez m'aider. Je cherche des informations sur quelqu'un qui vivait à Kitnor dans les années vingt…

Elle lève la tête.

– Oh, tu es une des Filles au chocolat ! s'exclame-t-elle. Une des Tanberry, c'est ça ? Je vous ai vues, tes sœurs et toi, dans le supplément du journal avant Noël, et j'ai dû te croiser une ou deux fois au village.

Elle prend un autre chocolat.

– Mon fiancé me les a offerts pour Noël. Je n'avais jamais mangé de chocolats aussi délicieux !

– Je transmettrai à maman et Paddy.

– Oui, tu pourras les féliciter. Alors… tu voudrais faire des recherches sur quelqu'un qui vivait dans les années vingt ? On va bientôt fermer, mais je comptais rester tard de toute façon. Jetons un œil aux registres paroissiaux.

Pendant qu'elle fouille dans les archives, je lui raconte l'histoire de Clara Travers et je lui parle de la malle que maman et Paddy ont découverte.

– Tu as ses robes ? C'est vrai ? Et ses chapeaux, ses chaussures, ses bracelets et une partie de sa correspondance ? On pourrait organiser une exposition formidable si tu acceptais de nous les prêter !

– Peut-être… Mais avant, je voudrais découvrir ce qui s'est passé.

L'idée de me séparer des robes ne me plaît pas trop.

Pendant une seconde, je comprends mieux ce que Summer me reproche. Après tout, ces robes ne sont pas à moi : pourquoi est-ce que je n'arrive pas à les partager ? En fait, je crains que, sans elles, mes rêves ne disparaissent.

Une demi-heure plus tard, nous avons en main l'acte de naissance d'une certaine Clara Jane Travers, née en 1909, fille de William Henry Travers et de Elizabeth Mary Travers, domiciliés à Tanglewood House.

– Si ton histoire est vraie, elle serait morte à dix-sept ans, autrement dit en 1926, dit la dame du musée. Mais il n'y a pas d'acte de décès, et encore moins de mariage, évidemment. Peut-être que sa mort n'a pas été déclarée parce qu'on n'a jamais repêché son corps ? Voyons s'il y a quelque chose dans la presse…

Malheureusement, nous avons beau éplucher les journaux de l'époque, nous ne trouvons aucune mention d'une mort par noyade ou d'un suicide.

– Je suis désolée de ne pas pouvoir t'aider davantage, s'excuse la conservatrice. Et si sa famille avait dissimulé sa mort pour éviter le scandale ? Ils ont pu s'arranger pour que ça n'arrive pas aux oreilles des journalistes.

– Au moins, j'aurais essayé. J'ai une photo du fiancé de Clara, mais comme il n'était pas de Kitnor, ce n'est pas la peine de chercher des informations sur lui. Sinon, j'imagine que vous n'avez aucun moyen de vous renseigner sur les Gitans ?

– J'en doute… Ils vivaient à l'écart de la société et, en général, ils ne déclaraient pas les naissances, les décès ou les mariages, car ils se déplaçaient tout le temps. On sait que des Tsiganes campaient régulièrement dans les bois près de Tanglewood jusqu'aux années vingt. Ensuite, ils ont préféré les pâturages près du port. Peut-être parce que les Travers les avaient chassés, comme dans ton histoire ? Dommage que nous n'ayons pas au moins un nom de famille comme point de départ…

– Finn, je lance.

Pourtant, rien ne prouve que le garçon de mon rêve ait quoi que ce soit à voir avec Clara Travers. Je dois être rouge brique.

– C'est juste un prénom que j'ai entendu.

– Et tu as un nom de famille ?

Je fronce les sourcils.

– Non… je ne crois pas. Désolée.

– Écoute, je vais me renseigner. Je jetterai un coup d'œil aux registres des fermes datant des années vingt, et si ça donne quelque chose, je te préviendrai.

Soudain, la porte s'ouvre et un homme décoiffé en veste de tweed et pantalon en velours fait irruption dans la pièce, un parapluie trempé à la main.

– Grace ! s'écrie-t-il en prenant l'employée du musée dans ses bras.

C'était donc elle la fameuse fiancée !

– Charlie !

Quand Mr Merlin m'aperçoit par-dessus l'épaule de son amie, il devient tout rouge.

– Oh, Skye… content de te voir… alors tu as suivi mon conseil !

– Oui, monsieur. Mais je vais y aller, il doit se faire tard.

– En effet, ta famille t'attend sûrement pour passer à table.

– La Table ronde ! je m'écrie avec un grand sourire avant de détaler.

Tommy serait fier de moi.

26

— &t voilà, déclare maman en raccrochant le téléphone. La salle polyvalente est réservée pour le jeudi 14 février à partir de vingt heures... Ça sera la plus belle fête de l'année !

C'est le lendemain de ma visite au musée et Summer, Cherry et moi finissons nos devoirs dans la cuisine avant le dîner.

— Génial ! se réjouit Summer. Je peux inviter tout le monde ? Tous les élèves de la classe ? Et toutes les filles de l'école de danse ?

— Bien sûr, pourquoi pas !

— Et des garçons du lycée aussi ? Enfin, moi, ça ne m'intéresse pas, mais c'est pour les autres filles...

— Shay pourrait en parler autour de lui, propose Cherry. Il vous fera de la pub.

— Bonne idée, répond Summer. On va préparer une super *playlist* et tout décorer sur le thème de la

Saint-Valentin, avec des guirlandes roses, de la limonade rose et un gros gâteau rose en forme de cœur…

– Skye ? demande maman en m'ébouriffant les cheveux. Ça te plaît ? Après tout, c'est aussi ta fête…

Je garde le silence.

Notre dernière fête d'anniversaire remonte à nos neuf ans. À l'époque, on se contentait encore de sandwichs, de mini-pizzas et de brochettes au fromage et aux tomates cerises piquées dans un demi-pamplemousse pour former un hérisson. C'était l'année où Tommy avait mangé toutes les petites saucisses et la moitié du dessert, et où il avait fini par vomir dans les toilettes. On avait eu un gâteau Barbie, surmonté d'une vraie poupée, à laquelle maman avait fabriqué une robe de princesse en crème au beurre.

Je me rappelle que je portais une jupe bleue et Summer une rose, et que maman avait triché au jeu du facteur pour que ce ne soient pas toujours les mêmes qui gagnent.

Avant, j'adorais les anniversaires ; mais quand on a treize ans, les fêtes n'ont plus rien à voir. J'ai l'impression que tout a changé et qu'on est entrées en territoire inconnu, Summer et moi.

– Super ! je m'écrie aussi joyeusement que possible. Mais on est obligées de choisir un thème Saint-Valentin ? Je ne suis pas sûre que ça plaise à tout le monde…

À moi non, en tout cas.

– Bien sûr que si, répond Summer. Ça tombe le jour de la Saint-Valentin, donc c'est obligé, non ?

– On pourrait proposer un thème vintage, sinon. Les gens mettraient des vieux vêtements hyper classe et…

– Skye ! s'offusque ma sœur. Tu es vraiment obsédée par le passé. Personne n'a envie d'aller acheter sa tenue de fête dans une friperie. C'est encore une excuse pour porter une de tes affreuses robes, avoue !

– Mais j'adore le vintage ! J'ai le droit quand même ! Ça n'a rien à voir avec les robes de Clara.

Évidemment, ce n'est pas tout à fait vrai.

– Et pourquoi pas un thème « Saint-Valentin vintage » ? intervient maman. Au moins, ce serait vraiment original ! Trouvez un compromis, les filles. C'est votre fête à toutes les deux, alors chacune a son mot à dire.

Summer a l'air de réfléchir.

– OK, accepte-t-elle enfin.

– Je pourrais préparer des invitations rétro, je suggère. Et pour les tenues, on n'a qu'à laisser les gens choisir s'ils veulent se déguiser.

– Non, non, c'est d'accord, insiste Summer, visiblement de plus en plus séduite par l'idée. Tu pourrais m'aider à transformer ma barrette en bandeau style années vingt. Et je vais chercher une robe qui fasse un peu ancienne… sans être vraiment vieille !

– Je sens qu'il va falloir prévoir une journée shopping, marmonne maman. Dans quoi est-ce que je me suis embarquée ? Heureusement que les soldes ne sont pas finis !

– Ça va rendre le mois de février un peu plus joyeux, commente Cherry. Et comme la Saint-Valentin tombe pendant les vacances, on aura plein de temps pour tout préparer. J'ai hâte !

Summer attrape mon chapeau cloche sur le porte-manteau, le pose sur sa tête et se lance dans une parodie de danse charleston qui fait rire tout le monde.

– Vous allez voir, déclare-t-elle. Ça va être la meilleure fête qu'on ait jamais vue au village.

Pour les invitations, je prépare un montage avec de vieilles pochettes de disques, des notes de musique, des petits cœurs et un couple des années vingt en train de danser. Au dos, on indique le lieu, la date, l'heure et le *dress code*, puis on en imprime plein sur l'imprimante de maman.

Cherry et Coco en prennent pour leurs amis, Shay en récupère un paquet qu'il compte distribuer au lycée et Honey promet d'inviter quelques personnes elle aussi.

Nos copines adorent l'idée, surtout quand elles apprennent que Shay fera le DJ et qu'il y aura des garçons plus vieux.

– Franchement, ça va être génial, me confie Millie. Une vraie fête, dans une salle, avec des garçons sexy…

– Sexy, c'est pas sûr, je réponds en regardant Tommy et Sid valser à l'autre bout de la cantine, leur invitation entre les dents.

– Ils sont plutôt mignons, tous les deux. Et puis ce n'est pas que ton anniversaire, Skye, c'est aussi la Saint-Valentin, et on ne peut pas se permettre de faire les difficiles.

– Je ne vois pas pourquoi. Sid et Tommy ne sont pas du tout mon genre.

– Et c'est quoi ton genre ? Parce que si tu attends de voir débarquer un preux chevalier, tu vas être déçue. Il serait temps que tu deviennes un peu réaliste.

– Pourquoi ? Je suis une romantique, moi. Hors de question que je me contente d'un lot de consolation. Mais je ne veux pas de preux chevalier. Et puis je ne suis même pas sûre que ça existe encore.

– Exactement, acquiesce Millie. Je sais que tu adores l'histoire et tout, mais n'oublie pas de vivre ta vie. Les garçons n'aiment pas trop les intellos.

Je serre les dents. Millie ne prend même plus la peine de cacher que je l'énerve. Nous nous éloignons l'une de l'autre et je ne sais pas quoi faire. Les magazines conseillent toujours de parler des problèmes. Je ne suis pas sûre d'en avoir envie, mais je décide d'écouter les conseils de Cherry et d'essayer de faire un effort.

– Pourquoi tu ne viendrais pas à la maison pendant les vacances ? On pourrait… euh… trouver des idées de maquillage, par exemple. Pour la fête. Et discuter tranquillement, comme avant.

– Pourquoi pas, répond Millie sans grand enthousiasme. Summer sera là ?

– Je n'en sais rien ! Qu'est-ce que ça peut faire ?

– Rien. Dis-moi, je pensais envoyer une carte de Saint-Valentin à Tommy. Ou à Sid. Au cas où ça ne marcherait pas avec les garçons du lycée, bien sûr.

– Bien sûr.

– Oh, voilà Summer !

Millie s'illumine.

– Je voulais justement son avis pour ma tenue. Cette fête va être super cool, Skye ! Tout le monde en parle déjà…

Sur ces mots, elle part en courant et me plante là, devant mon bol de crème dessert. Visiblement, je suis trop nulle pour donner des conseils de mode, même vintage, et trop ennuyeuse pour qu'elle finisse de déjeuner avec moi.

Avant, j'avais le contact facile. Je voyais toujours le bon côté des gens, je savais comment les faire sourire, comment apaiser les disputes et rendre tout le monde heureux. Mais j'ai de plus en plus de mal maintenant… en tout cas en ce qui concerne Millie et mes sœurs.

Mon amie a quand même raison sur un point : tout le monde parle de la fête. C'est comme une lueur de joie au milieu de cet hiver gris et interminable. Et toute distraction est la bienvenue. Depuis que Paddy a passé une annonce dans le journal à l'occasion de la Saint-Valentin, les commandes de chocolats explosent à nouveau, ce qui veut dire que nous consacrons tout notre temps à préparer des boîtes après l'école.

Un jour, maman reçoit une lettre du lycée : les résultats de Honey sont en chute libre, et son comportement est inacceptable. Elle prend rendez-vous avec ses professeurs, et quand elle rentre, une énorme dispute éclate.

– Je te signale que tu as un examen à la fin de l'année, Honey, râle maman. Si tu continues, tu vas le rater. Je croyais que tu voulais aller aux beaux-arts ? Ne gâche pas toutes tes chances !

Honey se renfrogne.

– Tu peux y arriver, ajoute Paddy. Inscris-toi à des cours de soutien pour les maths et les sciences. Mets-toi au travail. Et arrête de sortir et d'enchaîner les petits copains.

– Toi, t'as rien à me dire… peste Honey – mais maman la coupe :

– Si, justement. Et Paddy a raison, ça suffit. Si ton prochain bulletin n'est pas à la hauteur, je t'envoie dans une école privée réservée aux filles, ou même en pension s'il le faut. Quoi qu'il arrive, je ne te laisserai pas gâcher ta vie.

– Vous n'avez pas le droit! hurle Honey. C'est du chantage! En pension? C'est inhumain!

– Si, j'ai le droit, répond simplement maman. Et je n'hésiterai pas si c'est la seule solution. À toi de te ressaisir et de me prouver que tu peux y arriver. Soit tu obtiens de bonnes notes, soit je prends les choses en main. Tu as dépassé les bornes.

Pour une fois, ma grande sœur ne sait pas quoi répondre.

27

u début du mois de février, la température se met soudain à chuter. L'administration du collège pousse le chauffage à fond, ce qui ne nous empêche pas de garder nos manteaux et nos bonnets dans certaines salles. La cour de l'école se transforme en patinoire. Pour couronner le tout, une épidémie de grippe se répand. La moitié des élèves toussent et éternuent, sans parler de ceux qui sont absents.

– J'espère que ça va bientôt s'arrêter, me dit un jour Millie. Sinon, ça va être nul pour la fête. Vous allez vous retrouver à servir du thé au citron et à distribuer des paquets de mouchoirs.

– Il reste encore plus d'une semaine. Les gens seront guéris d'ici là. Surtout que ce sera pendant les va-cances, ils pourront se reposer avant.

– J'espère. Parce que je refuse d'embrasser Zack Jones s'il renifle comme ça. Quand on y pense, ce n'est pas très hygiénique d'embrasser quelqu'un. Avec tous ces microbes. Berk!

– Comment peux-tu être sûre que Zack voudra t'embrasser, de toute façon? je lui fais remarquer.

– Je m'entraîne pour le séduire. Je vais mettre la robe que j'ai eue à Noël, elle est trop belle et maman dit qu'elle fait un peu années soixante. Summer m'a conseillé de choisir des sandales à talons. Ça va me faire un super look hippie-chic et Zack ne pourra pas me résister. Ou Sid. Ou Tommy. Enfin, peu importe.

– Millie! On dirait que tu t'en fiches! Tu ne peux pas embrasser n'importe qui, histoire de dire que tu l'as fait!

– Mais c'est pas ça! C'est juste que ça sera la Saint-Valentin, j'ai treize ans, et je crois que je suis prête à avoir un copain.

– Eh bien, pas moi. Et même si je l'étais, il faudrait que je trouve le bon. Que je sois amoureuse.

– Qu'est-ce que t'y connais? glousse Millie.

Je pense à un garçon aux cheveux bruns bouclés dont le sourire me fait chavirer le cœur, un garçon qui n'existe que dans mon imagination.

– Rien.

Pourtant, je crois bien que je m'y connais un peu.

Un jour, alors que je range mes affaires après le cours d'histoire, Mr Merlin vient m'annoncer une bonne nouvelle : son amie a déniché des archives qui parlent des travailleurs gitans. Je n'arrive pas à y croire. Peut-être que je vais finalement apprendre quelque chose sur Clara et Finn ?

Summer a un cours de danse, alors je demande à Coco de prévenir maman que je vais rentrer tard. Quand je descends du bus à Kitnor, Tommy me rejoint.

– On a affaire en ville ? demande-t-il avec un grand sourire.

– Kitnor n'est pas ce qu'on pourrait appeler une ville. Mais oui, j'ai un truc à faire.

– Est-ce que par hasard ça consisterait à boire un chocolat chaud au Chapelier fou en compagnie de ton ami préféré ?

– Millie est déjà rentrée chez elle. Donc… non.

– Je parlais de moi !

– Je sais, je sais, je réponds en riant. Mais je vais au musée. Je cherche des infos sur l'histoire de Clara Travers et du Gitan…

– Cool, dit Tommy. Ça fait des années que je ne suis pas allé au musée.

– Tu n'es pas obligé de venir. Ça risque de ne pas être très intéressant.

– Non, je commence à bien aimer l'histoire, en fait. J'ai gagné le quiz, je te rappelle ! Je vais peut-être devenir paléon-truc, là, comme disait Mr Merlin, ceux qui déterrent des os de dinosaures !

– Paléontologue.

– C'est ça. Enfin bref, je pourrai regarder s'il y a des fossiles ou de vieux ossements au musée pendant que tu t'occuperas de tes recherches. Et après, on pourrait aller chez toi faire nos devoirs ou regarder un DVD…

– Désolée, Summer ne sera pas là. Elle a un cours de danse en ville.

– Je sais. Je connais son emploi du temps par cœur. Peut-être que j'ai juste envie de passer un moment avec toi, Skye !

– Ou de me poser plein de questions sur Summer. Ou bien de te faire inviter à dîner pour être là quand elle rentrera…

– Bonne idée. C'est mardi : chez moi, ça sera tofu et soupe de haricots noirs aux feuilles de chou. Alors je serais prêt à tuer pour avoir de la pizza ou des frites !

– Pas de bol, je réponds en poussant la porte du musée.

J'entre dans le bâtiment sombre, suivie de Tommy qui est aussi excité qu'un chiot. Grace nous accueille avec un sourire.

– Skye ! J'espérais que tu viendrais. J'ai recopié d'autres entrées du registre paroissial. Clara avait deux jeunes frères, Charles et Robert, tous deux tués pendant la Seconde Guerre mondiale. Kate Travers, ta grand-mère, était la fille unique de Robert.

– C'est bien ça. Alors Clara était… quoi, mon arrière-grand-tante ?

Dit comme ça, ça paraît bizarre, mais c'est vrai qu'on est de la même famille : voilà peut-être pourquoi je me sens si proche d'elle.

– Exactement. J'ai aussi découvert d'anciens livres de ferme qui pourraient t'intéresser.

Elle me tend un vieux registre de la ferme des Châtaigniers, qui se trouve de l'autre côté des bois. Il concerne le début des années vingt et liste tous les « travailleurs itinérants de Bohême » qui aidaient à labourer les champs, semer puis moissonner les récoltes. D'année en année, les mêmes noms reviennent. Sonny Brown, Dan Cooper, Lucky Cooper, Sam Cooper, John Birch, Bobby Birch, Jack Sampson… mais pas de Finn.

Peut-être que ça aussi je l'ai inventé ?

Tommy étouffe un bâillement, mais je ne m'occupe pas de lui.

– Tiens, Skye, voilà le passage que je voulais te montrer… ajoute Grace.

La page est datée de février 1926, et l'encre est un peu effacée par le temps.

C'est la confusion chez les Gitans.
Établis dans leur campement au milieu des bois depuis le début de l'hiver, ils nous aidaient à entretenir les haies

et réparaient les pots en ferraille. Parfois, les femmes et les enfants descendaient au village vendre des pinces à linge ou des perce-neige et acheter du pain.

Aujourd'hui, malgré l'épaisse couche de neige qui couvre encore le sol, les cinq roulottes sont parties brusquement. J'ai interrogé Dan Cooper, qui conduisait sa jument pie le long du chemin, et il a déclaré que Mr Travers, qui habite la grande maison, les avait chassés en les menaçant et leur avait interdit de remettre les pieds chez lui.

– Alors c'était vrai, je souffle, le cœur battant. Comme dans l'histoire.

– Il semblerait que oui. Je sais que des Gitans campaient près d'une ferme le long de la côte jusque dans les années soixante-dix. Il s'agit peut-être des mêmes familles qui avaient changé d'endroit, ou alors d'un autre groupe… Difficile à dire.

– Merci, je murmure. Ça m'aide beaucoup.

– Si je trouve autre chose, je te préviendrai, conclut Grace.

– Pourquoi tu t'intéresses tant à Clara et aux Gitans ? me demande Tommy quand nous ressortons dans le froid. Tu sais déjà ce qui s'est passé. Elle était fiancée à un vieux riche, elle est tombée amoureuse d'un type qui l'a plaquée, alors elle s'est jetée à la mer. Qu'est-ce que tu veux de plus ?

– Le nom du garçon. La date de sa mort. Je ne sais pas, Tommy… Des détails, des preuves, n'importe quoi!

– Pourquoi? Ça ne changera rien.

Parce que j'ai besoin de découvrir qui était Finn… mais je ne peux pas avouer ça à Tommy.

Finn est bien réel. J'en suis sûre. Il a existé.

– J'ai besoin de savoir. Je ne peux pas l'expliquer… c'est comme ça. Et s'il n'y a rien au musée, où veux-tu que je trouve des informations sur des gens qui sont morts depuis si longtemps?

On passe devant la poste et Tommy sourit.

– Pourquoi tu ne demandes pas à Mrs Lee? Elle raconte tout le temps qu'elle descend d'une famille de Gitans. Peut-être que c'est vrai?

Je m'arrête net.

– Tu es un génie, Tommy! Viens!

– Quoi, maintenant? Franchement, tu ne préférerais pas un chocolat chaud avec des Chamallows?

Mais il me suit quand même.

– Bonjour, Skye! lance Mrs Lee quand nous entrons. Elle jette un coup d'œil à Tommy et sourit.

– Comment ça va? Et tes amours?

– Il n'y a pas d'amours. Pas avec Tommy, en tout cas. Certainement pas. Hors de question.

– Je suis vraiment si horrible que ça? s'indigne-t-il. Tu n'es pas obligée d'être méchante, Skye.

Mrs Lee me prend la main et secoue la tête.

– Pourtant, je continue à voir quelque chose. Aucun doute là-dessus. Il y a de l'amour dans l'air !

– Ça m'étonnerait vraiment.

– Vous voulez bien regarder ma main ? demande Tommy. Parce que je crois que ma ligne d'amour est assez intéressante, elle aussi. J'en suis quasi sûr.

Mrs Lee observe sa paume et acquiesce.

– Il y a bien quelque chose. Mais je vois des complications. Un cœur brisé, des doutes. Le grand amour, ça n'est jamais simple.

– Vous plaisantez, hein ? Parce que je n'ai pas très envie d'avoir des doutes et le cœur brisé, merci bien. C'est nul !

– C'est toi qui as demandé... Alors, Skye, pas de colis aujourd'hui ?

– Euh, non. Je voulais savoir... Je fais des recherches sur les Gitans qui passaient par Kitnor il y a des années de ça. Comme vous avez des ancêtres gitans, je me demandais si vous aviez des renseignements...

Mrs Lee plisse les yeux.

– Eh bien, ma mère était à moitié gitane, c'est vrai. Elle est née dans un *vardo*, une roulotte. C'était une vie difficile, mais aussi très belle... très libre, en accord avec la nature et proche de la terre. Tout ça n'existe plus de nos jours... à cause du bitume, des routes et des voitures, et de la mécanisation de l'agriculture après la guerre. Les fermiers n'avaient plus besoin d'autant de main-d'œuvre.

– J'aimerais beaucoup parler à votre mère.

Mrs Lee fait non de la tête.

– C'est très mignon, mais elle est morte depuis quelques années maintenant. Mon père était un gadjo, un non-Gitan, et après quelques années sur la route ils se sont installés dans un village au sud-ouest du pays. Je crois que j'ai encore quelques photos de l'époque. Si tu veux, je pourrai te les apporter.

– Merci. Et sinon… j'essaie de retrouver la trace d'un certain Finn. Ce nom ne vous dit rien, par hasard ?

Elle fait la moue.

– Malheureusement, non. Ma mère s'appelait Linn Cooper, puis Martin après son mariage. Je ne crois pas l'avoir entendue parler d'une famille nommée Finn. Mais certains de ses frères et sœurs sont encore en vie. Je pourrai toujours leur demander.

– Merci beaucoup. C'est vraiment très gentil.

J'achète une barre de chocolat pour la forme et je sors de la poste en traînant Tommy derrière moi.

– À mon avis, elle n'a pas du tout de sang gitan, dit Tommy. Elle a lu n'importe quoi dans les lignes de ma main : Summer et moi, on est faits l'un pour l'autre, elle ne va pas tarder à s'en rendre compte…

– Si tu le dis, je réponds en soupirant.

Je lui tends un morceau de chocolat.

– Elle a parlé d'une histoire compliquée, ronchonne-t-il. Pourquoi ça ? J'ai vraiment pas de chance. Enfin, de toute manière, je n'y crois pas.

– Bien sûr. Et moi, je me demande si elle va penser à interroger ses oncles et tantes et à chercher les photos.

En même temps, je ne me fais pas trop d'illusions : il y a peu de chance qu'elle m'apporte des réponses. Ce sera sans doute encore une fausse piste.

– Tu crois vraiment que deux ou trois photos vont changer quelque chose ? se moque Tommy. C'est n'importe quoi, Skye. Tu sais ce qui s'est passé. Cette histoire s'est mal terminée, tu ne pourras rien y faire. Laisse tomber. Vis ta vie.

Il me vole mon chapeau et part en courant. J'éclate de rire et je me lance à sa poursuite. Nos pas résonnent sur les pavés gelés et des nuages de buée sortent de nos bouches avant de s'envoler dans la nuit.

28

Le premier jour des vacances de février, le soleil se lève sur un paysage immobile et glacé. Les arbres dénudés couverts de neige brillent et une épaisse couche blanche recouvre le jardin jusqu'au chemin de la falaise.

Par la fenêtre, je regarde Fred qui court comme un fou, Joyeux Noël sur les talons, et maman qui avance avec précaution en direction de la mare pour nourrir les canards. Elle laisse derrière elle une série d'empreintes parfaites. Cherry est dehors elle aussi. Emmitouflée dans son bonnet et son écharpe, elle brise la glace du bassin pour donner à manger aux poissons.

Je repense aux Gitans qui ont levé le camp des années plus tôt, partant sur des sentiers couverts de neige au beau milieu de l'hiver, pour laisser derrière eux la colère du père de Clara.

– J'espère que ça aura fondu d'ici jeudi, commente Summer qui vient de me rejoindre devant la fenêtre.

J'aime bien la neige, mais pourquoi aujourd'hui ? Pourquoi pas la semaine dernière, quand on avait cours ? On aurait peut-être eu quelques jours de congé !

– Je sais. Mais bon, comme ça au moins on peut en profiter. Je ne pense pas que ça tiendra jusqu'à jeudi, et sinon ça sera juste encore plus magique. Les gens viendront quand même, Summer. Arrête de t'inquiéter !

La porte de la chambre s'ouvre à la volée et Coco entre en courant. Elle a mis une dizaine de couches de vêtements et au moins deux écharpes.

– Bataille de boules de neige ? propose-t-elle. On pourrait aussi faire un bonhomme. Ou construire un igloo ! Je suis trop contente !

– Je vois ça, dit Summer en enfilant un pull. Je ne peux pas, Coco. J'ai un entraînement tout à l'heure.

– Tu as toujours des entraînements ! C'est encore pire qu'avant. Tu n'as jamais le droit de t'amuser ou quoi ?

– Danser, ça m'amuse, répond Summer en mettant ses jambières. Et je suis trop vieille pour les bonhommes de neige et les igloos.

– Skye ? me supplie ma petite sœur.

– Ça ne peut pas attendre un peu ? Millie doit venir tout à l'heure, on n'aura qu'à faire un bonhomme toutes ensemble…

Je ne finis pas ma phrase.

– En fait, non, je reprends. Ça ne va pas lui plaire. Allons-y maintenant. Va chercher Cherry, elle est déjà dehors.

– Youpi ! s'écrie Coco en levant les bras au ciel. Je ne comprends pas qu'on puisse se trouver trop vieille pour la neige !

Maman nous a préparé des bols de porridge, qu'on engloutit à toute vitesse avant de courir dans le jardin. Fred et Joyeux Noël nous accompagnent.

On construit un immense bonhomme de neige près du bassin aux poissons, avec des cailloux pour les yeux, une carotte pour le nez et un vieux chapeau de Paddy. Nous sommes en plein milieu d'une bataille de boules de neige quand maman me crie depuis la cuisine qu'on me demande au téléphone.

– C'est un garçon, ajoute-t-elle.

– Un garçon ! s'écrie Coco. Skye a un chéri !

– N'importe quoi ! Ça doit être Tommy.

Mais Coco ne s'arrête plus.

– Ouh, les amoureux ! Skye et Tommy se font des bisous dans les coins !

Je serre les dents et rentre dans la cuisine après avoir fait tomber la neige de mes bottes. Une délicieuse odeur de pâtisserie flotte dans l'air comme une promesse.

– Allô ? Qu'est-ce que tu veux, Tommy ?

– De la compagnie ! J'ai une luge et je vais monter sur la colline près des bois. Tu veux venir ? D'ailleurs… tu peux proposer aux autres. À Summer ou à qui tu veux. Si ça leur dit…

Je jette un coup d'œil à Summer qui s'échauffe en faisant des pliés, une main sur le buffet.

– Franchement, ça m'étonnerait…

– Je savais que tu dirais ça. Mais bon, ça ne coûte rien d'essayer. Mais toi, tu viens, hein ? On va bien s'amuser. En plus, il faut que je te parle.

– Tu es en train de me parler, là.

– Non, sérieusement. Enfin, tu me comprends.

Maman passe sous mon nez une assiette de cookies dorés en forme de cœur, tout juste sortis du four. J'en prends un.

– Tommy, je suis occupée aujourd'hui. Millie doit venir essayer des vêtements et du maquillage.

– Je te paierai un chocolat chaud au Chapelier fou.

– Tommy…

– S'il te plaît, dis oui. Aie pitié de moi. J'ai vraiment besoin que tu m'aides.

Je croque dans le cookie, qui fond dans ma bouche, et je lève le pouce pour féliciter maman.

– Je vais y réfléchir.

– Rendez-vous à la piste de luge à trois heures. Je t'attendrai, Skye, d'accord ?

Je finis par céder.

– OK, à tout à l'heure.

Dès que je raccroche, Coco, qui m'a suivie dans la maison, se met à siffloter.

– Skye a un rencard ! Avec Tommy Anderson !

– C'est pas un rencard !

– Laisse Skye tranquille, Coco, la gronde maman en riant. Au fait, je ne vous ai pas dit, j'ai reçu un coup de téléphone pendant que vous jouiez dehors dans la neige. C'était une femme qui s'appelle… comment déjà… Nikki je-ne-sais-plus-quoi. Elle est documentaliste pour la BBC et elle est tombée sur l'article qui parlait de nous, un peu avant Noël.

Coco ouvre de grands yeux.

– Qu'est-ce qu'elle voulait ? Elle va venir tourner un film sur nous ? On va passer à la télé ?

– Non, ma puce. Elle fait des recherches pour un feuilleton historique et Kitnor pourrait l'intéresser. Elle voulait me poser des questions sur la roulotte, qu'elle a vue en photo dans le supplément du journal. Comment elle était agencée, si elle roulait encore, ce genre de choses. Elle et son équipe vont venir en avril pour la voir et effectuer des repérages dans la région. Ils logeront ici pendant ce temps-là. Et si la roulotte leur plaît, ils vont peut-être la louer et l'utiliser pour le tournage !

– Ouah ! s'écrie Coco. La roulotte de Gitans va devenir célèbre !

Je repense à mes rêves, à des caravanes de toutes les couleurs dans les bois, à un grand feu, des rires, de la musique et un garçon qui n'existe pas. Je ne peux pas m'empêcher de sourire.

29

Au bout d'une heure à regarder Millie tester des dizaines de fards à paupières et de gloss devant le miroir de ma coiffeuse, j'en ai tellement marre que je commence à m'endormir.

— Est-ce que ça fait rétro ? me lance-t-elle, un faux cil à moitié collé sur la paupière. C'est très années soixante, non ?

— Euh, oui, un peu.

Au moment où elle se demande à voix haute si ça ira avec sa robe, le faux cil se décolle et atterrit dans son verre de Coca.

— Mince. Je crois que je l'avais mal mis. Dommage que Summer ne soit pas là... elle s'y connaît en maquillage.

— Elle est à la danse. Elle a sauté une classe et du coup ses horaires ont changé.

— J'avais oublié. Quand est-ce qu'elle rentre ?

— Bientôt.

Le plus vite sera le mieux.

– Tu veux qu'on emmène Fred se promener ? Ou qu'on construise un igloo ? Ou qu'on s'allonge par terre pour dessiner des anges dans la neige ? je propose.

– Pas vraiment. Je ne suis pas habillée pour ça. Honey n'est pas là ? Ou Cherry ? Je ne pensais pas qu'on serait juste toutes les deux.

– Elles sont sorties. Coco aide Paddy à l'atelier, mais je suppose que…

– Hors de question, réplique Millie en remontant ses cheveux en palmier, ce qui lui donne une allure d'ananas. J'ai décidé d'arrêter le chocolat.

Apparemment, elle n'a pas décidé d'arrêter les cookies. Elle en a mangé au moins six en me parlant des cartes de Saint-Valentin qu'elle compte envoyer – une à Tommy, une à Zack et une à Sid. J'étouffe un bâillement.

– Dis, tu vas envoyer des cartes, toi ? reprend-elle.

– Non.

Millie me regarde avec un air de pitié.

– C'est pas grave, tu sais. Chacun son rythme, ce n'est pas une course. Certaines filles sont très mûres à treize ans, d'autres pas du tout. Tu finiras par grandir, Skye.

Je n'en crois pas mes oreilles. Ma meilleure amie vient une fois de plus de me traiter de gamine.

La neige crisse sous mes pieds tandis que je prends le chemin du village pour rejoindre la piste de luge, le visage gelé. Lorsque j'arrive en bas, j'aperçois une silhouette solitaire qui descend à toute vitesse sur une vieille luge en bois.

Tommy s'arrête juste à côté de moi en m'éclaboussant de neige.

– Tu es venue, super ! Avec seulement une heure de retard !

– J'ai dû attendre que Millie parte. Je t'avais prévenu.

Ce que je ne lui dis pas, c'est que j'ai compté les minutes jusque-là. J'ai honte, mais je n'en peux plus : l'obsession de Millie pour les garçons me tape vraiment sur les nerfs.

C'est alors que je pose les yeux sur Tommy et qu'il me vient une idée folle, mais plutôt géniale.

– Au fait, Tommy, je trouve que tu as pas mal de points communs avec Millie. En plus, elle est assez jolie, tu n'es pas d'accord ?

– Qu'est-ce que tu mijotes ? grogne-t-il. Tu veux me caser avec elle ? Non merci ! Mon cœur est à Summer.

– D'accord, je disais ça comme ça. C'est juste que Millie s'intéresse pas mal aux garçons. Plus que Summer, en tout cas. Pour elle, il n'y a que la danse qui compte. Alors peut-être que tu pourrais essayer avec Millie ? Ça te donnerait l'occasion d'embrasser une

fille. Je crois que, justement, elle n'attend que ça.
Elle parle tout le temps de garçons, de maquillage, et
s'entraîne aux baisers en embrassant le creux de son
coude.

– Ah ouais, ça marche ? Je ne savais pas !

– Ma meilleure amie connaît plein de trucs comme
ça, maintenant. Sérieux… Des fois, j'ai l'impression
que la vraie Millie a été enlevée par des aliens.

– Tu crois aux aliens ? Énorme ! Moi aussi ! Si ça se
trouve, ils nous observent en ce moment, ils ont eu
Millie, et ils se demandent lequel d'entre nous ils vont
prendre ensuite… T'imagines ?

– Je plaisantais, Tommy.

Il est tout déçu.

– Je le savais, hein, ment-il, avant d'attraper sa luge
pour remonter la colline. Enfin bon, Millie ne me plaît
pas, d'accord ? Je voulais te parler de votre fête.
Attends un peu de voir ma tenue. J'ai une vraie queue-
de-pie d'époque ! Elle était à mon père, mais elle est
trop cool, ça date de je ne sais pas quel siècle. Tu crois
qu'il vaut mieux que je mette un feutre ou un haut-
de-forme avec ?

– Un haut-de-forme, sans hésiter.

– C'est ce que je me disais. Sauf que je n'en ai pas.
Je vais peut-être devoir me contenter d'un bonnet.

– Dommage.

– Cette fois, si Summer ne me remarque pas, je ne

sais plus quoi faire. Mais j'ai un bon pressentiment. Je vais prouver à Mrs Lee qu'elle avait tort : je ne vois pas pourquoi ma vie sentimentale serait compliquée. Je vais changer de tactique : fini les cartes anonymes et les cadeaux mystère. Il est temps que j'assume.

— Tommy, on est obligés de monter tout en haut de la colline ? Je commence à avoir les doigts gelés.

— Tu ne m'écoutes pas ! Cette fête, c'est la chance de ma vie, Skye. Pile le jour de la Saint-Valentin ! Je ne vais pas attendre cent sept ans que Summer fasse attention à moi. Il faut que je lui montre que je suis le garçon idéal !

— Tommy, tu es sûr que c'est une bonne idée ?

— Plus que jamais.

On atteint enfin le sommet de la piste et je me laisse tomber sur la luge pour reprendre mon souffle.

— Dis-moi, enchaîne Tommy, je voulais savoir un truc. Comment ça se fait que Summer ait un prénom qui veut dire «été», alors que vous êtes nées en février ? C'est pas logique !

— Il y a une explication. Quand maman et papa étaient jeunes et amoureux, et Honey toute petite, ils ont passé un été entier sur une île écossaise qui s'appelle Skye. Et neuf mois plus tard, on est arrivées… Alors ils nous ont appelées Skye, comme l'île, et Summer, comme cet été-là.

— Cool, c'est chouette comme histoire. Mais j'ai

encore une question : à ton avis, à quoi ressemble le mec idéal pour Summer ? Qu'est-ce qu'elle recherche ? C'est quoi son genre ?

Je soupire.

– Summer n'a pas envie d'avoir un copain. Elle est tellement dingue de danse qu'elle n'a pas le temps pour autre chose. Son rêve, c'est de devenir danseuse étoile et, crois-moi, ça ne laisse pas beaucoup de place à l'amour.

– Elle est trop belle en tutu. J'ai découpé sa photo dans le journal l'autre jour, et je l'ai accrochée dans ma chambre.

– Stop, épargne-moi les détails ! Enfin bref, si tu veux attirer son attention, tu ferais mieux de t'inscrire à l'école de danse et de t'acheter des collants.

– Ça ne risque pas d'arriver. Non, je sais quoi faire. Je vais arrêter de l'admirer de loin et tenter une approche directe. Je vais lui demander de sortir avec moi.

– Tommy…

– Je n'ai pas le choix, Skye. Il y a une chance sur deux qu'elle dise oui. Je n'ai pas grand-chose à perdre.

– C'est pas faux. Tommy, je crois que j'ai les orteils congelés. Tu m'avais promis un chocolat chaud, non ?

– D'abord la luge, ensuite le chocolat. Où est passé ton goût de l'aventure ? Il ne neige presque jamais dans le Somerset. Il faut en profiter !

– J'en ai profité : j'ai construit un bonhomme, j'ai

fait une bataille de boules de neige et je suis venue te rejoindre. Mais j'ai super froid et la piste est longue. Et je ne suis jamais montée sur une luge. Je ne mens pas, j'en ai marre de la neige. Pourquoi est-ce qu'on n'irait pas… *aaaaah !*

Tommy vient de pousser la luge et de sauter derrière moi, et voilà qu'on décolle et qu'on dévale la pente à cent à l'heure. J'essaie de me recroqueviller le plus possible, appuyée contre Tommy dont les jambes dépassent de chaque côté.

– Accroche-toi ! crie-t-il à mon oreille.

Je hurle, Tommy rit aux éclats, on approche du bas de la piste et la luge ne ralentit toujours pas. Quand je demande où sont les freins, il tire sur la corde attachée devant et plante ses talons dans la neige. On fait un grand virage avant de s'arrêter d'un coup. La luge se renverse et j'atterris la tête la première, de la neige plein la bouche.

J'ai mal partout et je n'ai jamais eu aussi froid de ma vie. Mon chapeau cloche a disparu et j'ai l'impression que mes cheveux se sont transformés en stalactites. J'ai de la neige sur les cils, dans le nez et dans le cou, et de l'eau glacée qui s'infiltre dans mes chaussettes et mes gants. J'ai envie de pleurer, mais même les larmes gèleraient sur place.

Tommy me retourne et se penche sur moi, l'air inquiet.

– Skye? murmure-t-il. Skye? Parle-moi!

– Je vais te tuer! je peste en crachant de la neige.

Il sourit, puis m'aide à me relever. Je titube et claque des dents.

– Je suis désolé, vraiment, vraiment désolé. Ça va beaucoup plus vite quand on est deux dessus. Mais on a eu plus de peur que de mal…

– Attends que je t'attrape, là, et tu vas voir ce que c'est d'avoir mal! je m'exclame.

Tommy récupère mon chapeau, vide la neige qu'il contient et l'enfonce sur ma tête, puis il écarte doucement une mèche de cheveux gelée de mon visage. Ses mains sont douces et chaudes et il me fixe longuement.

Qui aurait cru que Tommy Anderson avait de magnifiques yeux couleur chocolat?

Il ouvre la bouche comme pour dire quelque chose, mais il se ravise. Il fronce les sourcils, un peu perdu. Les battements de mon cœur s'accélèrent et je me rends compte tout à coup que ses doigts sont toujours posés sur ma joue. C'est un peu bizarre, mais pas désagréable comme sensation.

Et soudain je pense à Finn. Finn, qui fait battre mon cœur bien plus vite que Tommy ne le pourra jamais. Je recule d'un pas et Tommy baisse la main, mal à l'aise. Il frotte son jean et sa veste pour enlever la neige. C'est fini.

Je ferme les yeux.

Ça doit être perturbant, de tomber amoureux d'une fille qui a une sœur jumelle. «Compliqué», comme dirait Mrs Lee.

Enfin… je suis sûre d'une chose maintenant : je ne passerai plus jamais après ma sœur, et surtout pas en amour. Si fou que ça puisse paraître, je préfère encore un garçon imaginaire qu'un garçon qui n'est pas pour moi…

30

J'avais toujours trouvé ça plutôt chouette que mon anniversaire tombe le jour de la Saint-Valentin, mais c'est parce que je n'avais pas vraiment réfléchi à ce que ça impliquerait en grandissant. Je n'avais pas prévu que ça me ferait aussi mal de voir que trois garçons ont envoyé une carte à ma sœur.

– Trois ! s'exclame-t-elle, rose de plaisir. Ouah !

– Génial. T'as trop de chance.

– Oh, il y en a aussi une pour toi, regarde !

Pleine d'espoir, je déchire l'enveloppe bleu pâle, mais c'est une simple carte d'anniversaire envoyée par la cousine de maman, Lucy, qui nous écrit toujours des cartes séparées, contrairement à la plupart des gens.

Je suis déçue. Est-ce que ça va être comme ça tous les ans ? Est-ce que je vais finir par détester mon propre anniversaire ?

On n'avait jamais rien eu pour la Saint-Valentin avant, à part les toasts à la confiture en forme de cœur que nous prépare maman ou, en ce qui me concerne, un bonbon tout collant que Tommy m'avait offert en primaire. Mais il était tombé par terre, et en plus je crois bien qu'il avait donné le reste du paquet à Summer.

Jusqu'ici, je m'en fichais de ne pas recevoir de carte ; mais là, à force de voir Summer lire et relire les siennes, ça me fait envie. Je savais qu'elle en aurait une de Tommy, bien sûr, mais trois... ça fait un peu beaucoup. Trois garçons sont amoureux de ma sœur, et aucun de moi. Ce n'est pas juste.

On se ressemble comme deux gouttes d'eau, alors qu'est-ce qu'elle a de plus que moi ? Elle plaît aux garçons, les adultes l'adorent, et des tas de gens gravitent autour d'elle, comme des moustiques autour d'une flamme. Je ne lui en veux pas : Summer est née pour être sous les projecteurs ; et moi, pour rester dans l'ombre.

– Tu peux prendre une des miennes, me propose-t-elle justement.

Les larmes me montent aux yeux. Pourtant c'est mon anniversaire et une grosse fête nous attend, je devrais être la fille la plus heureuse au monde...

Sauf que je ne voulais pas de fête, et que pour rien au monde je n'accepterais que Summer me refile une de ses cartes. Ça ne ferait que retourner le couteau dans la plaie. Je mange une bouchée de cœur à la confiture, mais le pain grillé a un goût de poussière. Summer repousse elle aussi son assiette sans y toucher.

– Vous n'avez pas faim ? demande maman. Je les ai préparés exprès pour votre anniversaire !

– Je suis trop excitée pour manger ! répond Summer.

– Moi aussi.

Même si, dans mon cas, c'est plutôt de l'appréhension.

Je cache ma tristesse et mon amertume derrière un grand sourire. Je ne sais pas ce qui cloche chez moi. Je devrais me réjouir pour Summer au lieu de l'envier. Et puis seule une carte de Finn me ferait vraiment plaisir… et je sais que c'est impossible.

Nous déballons nos cadeaux. Il y a d'abord un tableau en liège avec douze photos de Summer et moi prises lors de nos précédents anniversaires, de l'époque où nous étions toutes petites jusqu'à l'année dernière. Douze photos où nous sourions, main dans la main, et une place laissée vide au milieu pour celle d'aujourd'hui.

– Magnifique, commente Summer. On est trop mignonnes !

Bizarrement, nous voir aussi heureuses ensemble ne fait qu'accentuer mon impression que les choses ont changé. Sur la photo de nos dix ans, déjà, Summer est en plein soleil et moi dans l'ombre. L'année suivante, on dirait qu'on se tient la main, mais en y regardant de plus près je m'aperçois que Summer s'accroche à moi comme si j'allais m'enfuir. Sur celle d'après, la plus récente, on se touche à peine.

Mes yeux recommencent à me piquer et je me dépêche d'essuyer mes larmes avant que quelqu'un les remarque.

Le deuxième paquet cadeau contient deux téléphones portables identiques, un rose pour Summer, un bleu pour moi. Il y a ensuite une mini-robe en dentelles crème style années vingt pour ma sœur et une version plus longue et plus authentique pour moi.

– C'est une idée de Summer, m'explique maman. Elle les a choisies elle-même. On a trouvé que celle-là faisait vraiment vintage. Elle te plaît, Skye ?

– Elle est superbe, je réponds sincèrement. Merci !

Même si une partie de moi ne peut s'empêcher de penser que Summer a fait exprès de prendre des robes similaires, pour que je lui ressemble et que je ne mette pas une des tenues de Clara. Je ne voulais pas de robe neuve ni de fête… mais ce serait malvenu de me plaindre.

Mamie Kate nous a envoyé d'autres pendentifs pour nos bracelets, deux petits cœurs en argent pour rappeler que nous sommes nées le jour de la Saint-Valentin.

Un pêle-mêle photo, des téléphones assortis, des pendentifs assortis, des robes presque assorties… Avant, j'aurais adoré recevoir les mêmes cadeaux que Summer. Sauf qu'encore une fois les gens ont tendance à oublier que nous sommes deux personnes différentes, et je me retrouve toujours éclipsée par le charme de ma sœur.

— Une dernière chose, ajoute Paddy en nous tendant à chacune une petite boîte entourée d'un ruban. Je testais de nouvelles recettes et j'ai eu l'idée de vous créer des bonbons personnalisés…

Ma boîte est remplie de chocolats au lait en forme de cœur recouverts d'un glaçage en sucre filé qui ressemble à un flocon de neige. J'en croque un. De la guimauve sucrée fond sur ma langue, douce, vanillée et légèrement collante. J'en ai le souffle coupé. Soudain, ma tristesse semble vouloir s'envoler.

— Paddy, c'est extraordinaire. Franchement, je n'ai jamais rien mangé d'aussi bon. J'adore la guimauve, mais là… c'est encore meilleur !

— Elle est faite maison. À l'origine, on fabriquait la guimauve à partir de racines de mauve, d'eau de rose et de miel. Est-ce que tu savais que c'est une des plus vieilles sucreries qui existent ? Je me suis inspiré de vieilles recettes, que j'ai un peu remaniées. La racine de mauve et l'eau de rose font vraiment toute la différence…

– Ça te fait un nouveau parfum à ajouter à ta liste !

– Je l'ai appelé «Cœur guimauve», et celui de Summer, «Cœur mandarine».

– Je peux goûter ? je réclame à ma jumelle.

Summer m'offre un de ses chocolats. Ils sont blancs, en forme de cœur comme les miens, saupoudrés de sucre orangé et remplis d'un fondant à la mandarine à tomber par terre.

– Oh… c'est délicieux aussi !

– Merci, Paddy ! renchérit Summer. Ils sont magnifiques, mais je les garde pour plus tard : je ne peux rien avaler pour le moment !

Dans l'après-midi, Paddy nous conduit à la salle polyvalente.

– Tout le monde est très excité ! dit Summer. J'ai reçu des textos toute la matinée. Je me demande comment j'ai réussi à me passer d'un portable pendant si longtemps !

– Génial, je réponds sans vraiment l'écouter.

Je passe l'après-midi avec Paddy, Cherry et Summer à suspendre des guirlandes en papier, des spots et des banderoles «Joyeux anniversaire» tout autour de la salle. Summer saute de joie, alors que j'ai du mal à sourire. Mon corps est lourd et ankylosé.

Maman apporte la nourriture et nous disposons sur les tables des assiettes de muffins à la guimauve, mes préférés, à côté de pyramides de chocolats couverts de glaçage blanc. Il y a aussi des plats entiers de mini-pizzas en forme de cœur, des petites saucisses à réchauffer, des saladiers de chips et des bâtonnets de légumes. Enfin, la pièce maîtresse : un superbe gâteau au chocolat, en forme de cœur lui aussi. Pendant que Paddy installe les boissons, Shay arrive pour tester la sono et vérifier sa playlist.

Je finis même par sourire en voyant la salle prendre vie et les guirlandes s'illuminer alors que le soir tombe. Le buffet a l'air tout droit sorti d'un magazine de cuisine et nous mettons la dernière main à la décoration en écoutant de la musique.

– Alors, tu me crois maintenant quand je te dis que ça va être cool ? me demande Summer.

Je suis presque convaincue.

31

Summer a mis sa robe neuve et s'est attaché les cheveux en laissant retomber quelques anglaises. Elle porte aussi un bandeau fabriqué à partir de la barrette de Tommy et d'un ruban rose. Elle est éblouissante. Moi, j'ai choisi la robe en velours vert de Clara, sous laquelle j'ai enfilé plusieurs jupons. Malgré l'épais manteau émeraude que j'ai posé sur mes épaules, je n'arrive pas à me réchauffer.

– Skye! s'exclame ma sœur quand elle me voit. Je croyais… je voulais qu'on soit assorties!

– Quoi qu'on porte, on est déjà assorties. J'adore ma nouvelle robe, Summer, mais j'avais déjà prévu de mettre celle-là. Je n'ai pas envie qu'on ait l'air de deux petites filles avec nos robes identiques, et en plus je suis gelée. Je ne veux pas passer la soirée à grelotter. Une autre fois, promis!

– Mais tu as mis une des robes de Clara! Et le manteau qui était dans mon rêve… enfin, mon cauchemar. Tu sais très bien ce que j'en pense, Skye.

— Ce n'est pas à toi de décider, Summer. J'ai quand même le droit de m'habiller comme je veux pour mon anniversaire, non ?

Summer ne répond rien ; quant à maman et Paddy, s'ils sont vexés que je ne porte pas mon cadeau, ils ne le montrent pas. Tout le monde s'entasse dans le minivan de Paddy.

— On gèle, je murmure tandis que nous descendons lentement la colline. C'est l'âge de glace ou quoi ?

— Il va encore neiger, se réjouit Coco. Je suis trop contente !

La salle brille dans la nuit et on entend la musique de dehors. Un flocon parfait vient se poser sur la manche de mon manteau, puis un autre, et soudain on dirait que quelqu'un a éventré un oreiller de plumes dans le ciel d'un noir d'encre.

— C'est magnifique !

J'aimerais rester là dans le noir, sous les flocons qui tourbillonnent doucement.

Paddy entre le premier dans la salle polyvalente, et brusquement la musique et les lumières s'éteignent. Coco éclate de rire.

— Ils vous préparent une surprise. Comme si vous n'étiez pas au courant !

Summer entre à son tour, puis Cherry et Coco me poussent derrière elle. On dirait qu'elles ont peur que je m'enfuie. À l'intérieur, tout est sombre et silencieux. Petit à petit, je distingue des silhouettes, des murmures, des frottements de pieds et des rires étouffés.

Tout à coup, la sono se met à diffuser *Happy Birthday* à fond, toutes les lumières se rallument et nos invités chantent et nous acclament. Summer et moi nous retrouvons au milieu de la foule, entourées de pétards qui explosent et de gens qui nous serrent dans leurs bras.

Pour la suite, Shay a vraiment choisi la musique qui convient, un mélange de tubes et de vieilles chansons rétro qui font rire tout le monde. La piste de danse ne désemplit pas et tous les invités ont fait l'effort de respecter le thème « Saint-Valentin vintage » : les garçons portent au minimum un haut-de-forme et les filles ont mis un châle ou une fleur dans leurs cheveux.

Cherry rejoint ses nouveaux amis du lycée, Coco sa bande de copains fous, et Honey fait tourner les têtes dans sa petite robe de satin bleu, le bandeau à plume de Clara autour du front. Un garçon aux allures d'intello la suit partout. On dirait un peu Clark Kent, sans les épaules larges et la mâchoire carrée.

– C'est un nouvel ami, m'explique maman, plutôt surprise. Il lui donne des cours de maths et de sciences ! On dirait qu'elle commence enfin à écouter ce qu'on lui dit...

D'après Cherry, il s'appelle Anthony et fréquente le même lycée qu'elles. Il est super intelligent et bosseur, et c'est un génie de l'informatique.

— Pas vraiment son genre, je commente.

Pendant quelques secondes, Cherry observe ma grande sœur en silence.

— Peut-être qu'elle a changé, dit-elle finalement.

Ou pas. Peut-être qu'elle l'a juste invité pour faire bonne impression. Un peu plus tard, je le vois parler avec maman de fiches de révision et de méthodes de travail. À l'autre bout de la pièce, Honey minaude devant sa cour de prétendants en buvant du cidre à la bouteille.

Millie, dans sa robe hippie faussement années soixante, les paupières couvertes de fard à paillettes sous ses faux cils, me traîne sur la piste à chaque chanson. Elle se déhanche dans tous les sens et bat des cils dès qu'un garçon s'approche.

— C'est trop génial! hurle-t-elle par-dessus la musique.

Elle n'a pas tort, mais les basses commencent à me donner mal à la tête, et puis j'ai chaud et je suis fatiguée à force de danser.

— J'ai soif, je lui annonce avant de m'enfoncer dans la foule.

Tommy m'attrape par le coude, les yeux brillants. Dans sa veste à queue de pie, il est mille fois plus élégant que le pitre aux cheveux en bataille d'il y a quelques mois. Si ma sœur prenait la peine de le regarder, elle verrait qu'il est plutôt mignon. Mais je ne crois pas que ça risque d'arriver.

Summer est au milieu de la piste, entourée de filles et de garçons, et ses cheveux blonds volent autour d'elle à chacun de ses mouvements. Je ne l'avais jamais vue aussi heureuse.

— Je vais me chercher un truc à boire ! je crie à Tommy, qui m'emmène jusqu'au buffet et me tend un gobelet de limonade. Merci. Je ne me sens pas très bien… j'ai chaud… et super soif.

Il me guide alors vers la porte et nous quittons le vacarme pour un monde d'une blancheur parfaite. La neige tombe toujours, étouffant tous les bruits, masquant les flaques de boue et couvrant les voitures du parking d'un épais manteau blanc.

Je lève la tête pour essayer d'attraper des flocons avec ma langue.

— Ça va ? demande Tommy.

— Ouais… mais il fait tellement chaud là-dedans. J'ai l'impression qu'on m'a rempli la tête de coton et qu'on tape dessus avec une batte de base-ball.

Il fronce les sourcils.

— Tu n'as pas l'air bien.

Il pose une main sur ma joue et la laisse là. Ses doigts sont frais contre ma peau brûlante.

— Tu es bouillante. L'épidémie de grippe ne doit pas

être terminée. Je crois qu'on devrait prévenir ta mère.

– Mais non, c'est parce que j'ai trop dansé. Ça va.

Je ramasse une poignée de neige et la frotte sur mon visage. Un frisson délicieux me parcourt le corps.

– Tu es sûre ?

– Oui.

– Bon. Je vais me lancer. Pour de vrai. Je vais inviter Summer à danser, et en profiter pour lui demander de sortir avec moi. Souhaite-moi bonne chance !

– Bonne chance, Tommy !

Il se passe la main dans les cheveux, ajuste sa veste et se redresse.

– Hum… alors… maintenant, tu crois ?

– Vas-y.

Je le suis à l'intérieur et le regarde contourner les danseurs, le menton levé et l'air déterminé. Soudain, ses épaules s'affaissent et son visage s'assombrit sous les lumières qui clignotent. Je tourne la tête.

Summer est en train de danser un slow avec Zack Jones, les bras autour de son cou et la tête sur son épaule. Zack a l'air aussi ravi que s'il venait de gagner au Loto. Il la serre un peu plus contre lui et enfouit son visage dans ses cheveux.

Ça me fait comme un coup au cœur. Moi aussi, j'aimerais danser avec un garçon, sentir ses bras autour de moi et son visage dans mes cheveux ; mais je voudrais que ce soit Finn. Et ça, ça n'arrivera jamais.

Je devrais être contente pour Summer. Au lieu de ça, je me sens petite, triste et abandonnée dans l'ombre de ma sœur.

Et Tommy, qu'est-ce qu'il doit penser?

Quand je me retourne, il a disparu.

Je m'écarte de la piste pour jeter mon gobelet vide à la poubelle, puis, une assiette à la main, je me fraie un chemin vers le buffet.

– Tout va bien, Skye? me crie maman. Tu t'amuses bien?

– C'est génial!

Je mords dans une saucisse, mais elle a un goût de carton, et j'ai l'impression que les chips sont en verre pilé. Si seulement je pouvais me trouver ailleurs, n'importe où…

Summer dit que je suis obsédée par le passé et que je vis dans un monde imaginaire. Peut-être qu'elle a raison. Je préfère largement mon monde à la réalité. Le passé est un lieu sombre, doux et sucré comme de la guimauve. Il est facile de s'y cacher. Je reste à l'écart de la fête en rêvant de m'échapper.

– C'est dingue! me lance Coco en me rejoignant quelques minutes plus tard. Et un peu dégoûtant aussi! Dire que j'ai toujours cru qu'il était amoureux de toi!

– Quoi?

– Tu sais bien. Tommy. Et Millie. Qui s'embrassent. Franchement, comment il ose?

Je regarde dans la direction qu'elle indique : effectivement, mon insistance a fini par payer. Millie, cramponnée à Tommy, a sa bouche collée à la sienne.

– Ça va, Skye ? Tu as l'air un peu tremblante !

– Je me sens très bien !

Mais Coco a raison, j'ai les jambes qui tremblent et je suis au bord des larmes. Je devrais me réjouir pour Tommy et Millie, mais, bizarrement, je me sens encore plus seule et perdue qu'avant.

Summer s'approche de moi, Zack sur les talons.

– Hé ! Tu as vu Millie et Tommy ? On dirait que tu as raté ta chance ! Mais ils vont bien ensemble... Tommy n'est pas franchement le garçon le plus cool de l'école, et Millie, même si elle fait des efforts, a encore du mal avec le maquillage ! Qu'est-ce que c'est que ce truc... des faux cils ? On dirait qu'elle a des araignées collées sur les paupières !

Je ferme les yeux un instant et le monde se met à tourner.

Je voudrais répondre à Summer, lui dire que tout le monde ne peut pas être aussi cool qu'elle, que tout le monde ne peut pas être une star, mais elle est déjà repartie en traînant Zack derrière elle.

Je me demande si Tommy avait raison : peut-être que je suis vraiment malade, que ce n'est pas seulement de la colère et de l'apitoiement sur moi-même. Je zigzague entre les danseurs pour rejoindre la porte.

Quand je vois Summer tendre une pizza en forme de cœur à Zack, j'ai l'impression que je vais vomir.

Je n'ai pas envie de rester là. Je veux un monde où le soleil brille, où l'air sent le feu de bois et où un garçon aux yeux rieurs m'accroche des fleurs sauvages dans les cheveux et me fait tournoyer sous les arbres jusqu'à en perdre haleine.

Soudain, la foule s'écarte et je le vois, debout près de la porte. Un visage que je ne pensais pouvoir retrouver que dans mes rêves, une peau sombre, des cheveux bouclés et un sourire qui répare instantanément mon cœur blessé.

Finn.

32

Je m'avance sans réfléchir à ce que je vais lui dire, sans me demander qui il est ou ce qu'il fait là ; je suis simplement heureuse de le voir. Puis il tourne les talons et referme la porte derrière lui.

Le temps que je sorte à mon tour, il a disparu. J'en pleurerais presque. Mais, tout à coup, je distingue une silhouette qui s'éloigne dans la neige. Je rentre vite chercher mon manteau, parce que je viens de comprendre. Une salle bruyante, surchauffée et pleine de jeunes ne peut pas servir de cadre à notre première rencontre. Ce n'est pas ce dont j'ai rêvé.

Je m'enveloppe dans le manteau vert émeraude avant de me lancer à sa poursuite en glissant sur le sol gelé. La silhouette longe la route jusqu'au bout du village, puis bifurque en direction des bois. Je m'inquiète un peu, parce que je ne vois pas ses traces, ce qui veut dire qu'il neige plus que je ne le pensais.

Il saute la barrière et s'enfonce entre les arbres, et

je l'imite malgré mes doigts qui tremblent sur le bois mouillé. En retombant de l'autre côté, je perds l'équilibre et m'écroule dans la neige.

Je m'en fiche. Au moins, ça me rafraîchit les idées.

Je me relève et je grimpe la colline en me frayant un chemin entre les arbres au tronc tordu dont les branches ploient sous leur manteau blanc. Je ne vois plus Finn, mais je continue, les chaussures pleines de neige, les pieds gelés, hors d'haleine, et j'écarte de la main les petites branches qui me griffent le visage.

Il est déjà trop tard lorsque je me rends compte que je suis seule dans la forêt, qu'il fait nuit, que le garçon que je suivais a disparu, et même qu'il n'y a sans doute jamais eu de garçon. Je m'efforce de crier, mais aucun son ne sort de ma bouche. Ma gorge me fait horriblement mal quand j'essaie d'avaler ma salive.

Tout mon corps est secoué de violents frissons, malgré mon visage toujours brûlant.

– Finn ? je murmure – et les larmes se mettent à couler sur mes joues, aussi froides que de la glace.

Je suis malade : j'ai mal à la tête et les membres lourds et engourdis, comme si je nageais depuis des heures dans de l'eau glacée sans jamais apercevoir la côte. Je ne peux plus avancer. Alors, même si je sais que je ne dois pas m'arrêter et que c'est la pire chose à faire, je m'accroupis dans la neige, je m'enroule dans le manteau de Clara et je pose la tête sur mes genoux.

Au loin, j'entends la voix de ma sœur qui m'appelle. Pendant un moment, j'ai l'impression d'être dans son cauchemar : je me noie, je n'ai plus de souffle et je lutte pour ne pas sombrer… puis l'eau se referme au-dessus de ma tête et je lâche prise.

Une odeur de guimauve et de feu de bois flotte jusqu'à moi, et le chant d'un oiseau me tire de mon sommeil. J'ignore s'il s'est écoulé une minute ou une heure, mais quand j'ouvre les yeux, les arbres sont verts. Bien que ce soit impossible, ça ne me perturbe pas du tout. Il fait jour, la douleur et la fièvre ont disparu, et je sens battre au creux de mes mains une petite boule de plumes toute douce.

Je les ouvre et je découvre un minuscule oiseau à la tête grise, aux ailes brunes et à la poitrine rouge. Il se promène sur ma paume, délicat, soyeux et parfaitement apprivoisé, et ses petites pattes me chatouillent doucement.

Une phrase me revient en mémoire. «Une linotte apprivoisée dans une cage bleu ciel»…

– Tu es libre, je souffle. Nous sommes libres tous les deux, maintenant.

L'oiseau cligne des yeux et frissonne tandis que je lève les mains vers le ciel. C'est alors que je remarque l'anneau d'or et le diamant à mon annulaire gauche. L'oiseau déploie ses ailes, s'envole dans un éclair de plumes brunes et s'élève au-dessus de la cime des arbres.

Je le regarde jusqu'à ce qu'il ne soit plus qu'un point dans le ciel bleu.

Puis je retire ma bague de fiançailles et je la mets dans la poche du manteau vert émeraude. J'ai le cœur léger et je me sens libre, comme l'oiseau sans doute au moment où il a ouvert ses ailes.

Voilà que je m'élève au-dessus des arbres, moi aussi. De là-haut, j'observe cette fille aux cheveux blond-roux coupés à la mode des années vingt, qui a des fleurs de mauve derrière l'oreille. Elle se débarrasse de son manteau vert, qui lui rappelle une vie dont elle ne veut plus. Des brindilles craquent et je vois apparaître un garçon à la peau brune qui lui sourit. Alors qu'il la prend dans ses bras et l'embrasse, je me rends compte que ce n'est pas le garçon de mes rêves : il est plus vieux, presque adulte. Mais ça ne fait rien, puisque la fille, c'est Clara : tout s'éclaire enfin.

– Je t'aime, murmure une voix sans que je puisse savoir si elle vient du couple enlacé ou si je l'entends dans ma tête. Je t'aimerai toujours.

Lorsque je me réveille à nouveau, tout a disparu et je suis recroquevillée dans la neige. Les pans de ma robe ont gelé et mes cils, mes lèvres et mes doigts sont couverts de flocons.

De toutes mes forces, je m'accroche au souvenir de la linotte, du Gitan et de la bague, mais il m'échappe peu à peu, comme si rien de tout cela n'était arrivé.

Je sais pourtant que je dois le retenir, que c'est important. Je plonge mes doigts tremblants dans la poche du manteau. Elle est vide, comme d'habitude.

Soudain, je sens sous mes doigts une déchirure dans le tissu. La poche finit par céder et là, coincées dans la doublure, je les trouve enfin.

Une bague et une lettre.

Malgré mes dents qui claquent et mes mains qui tremblent, j'essaie de me concentrer pour lire, mais tout devient flou. Alors je me contente de serrer la bague et la lettre contre moi, le souffle rauque, et mes yeux se ferment peu à peu tandis que des voix s'approchent en criant mon nom.

33

La pièce est plongée dans le noir. De temps en temps, je me réveille, parce que le docteur pose son stéthoscope froid sur ma poitrine. Parfois, c'est maman qui me donne un peu d'eau, pour que j'avale des médicaments, avant de m'éponger le visage avec un linge frais. Le plus souvent, pourtant, c'est Summer qui est à mon chevet, à caresser mes cheveux humides ou à me tenir la main.

Le docteur discute à voix basse avec maman et Paddy. Il parle de faire tomber la fièvre et explique que si les antibiotiques ne suffisent pas, il faudra me conduire à l'hôpital.

— J'ai peur, dit maman, à qui Paddy répond qu'elle doit rester forte pour moi.

Le tic-tac de l'horloge résonne, constant, douloureux et plus bruyant que les battements de mon cœur.

Summer est de nouveau près de moi. Elle me demande de revenir, parce qu'elle a besoin de moi, qu'elle ne peut pas vivre sans moi et que je suis l'autre moitié d'elle-même.

– Reste, chuchote-t-elle au milieu de la nuit, quand mes rêves m'entraînent vers un autre lieu et un autre temps. Reste avec moi, Skye. S'il te plaît.

Mais les rêves sont trop forts. Dès que je ferme les yeux, les images se mélangent dans ma tête, souvenirs d'une vie que je n'ai pas vécue, pièces d'un puzzle que je peine à reconstituer. Une roulotte de Gitans, une fille souriante avec des fleurs dans les cheveux, un jeune homme au coin du feu, un bébé aux cheveux bouclés, un cheval pie, un grand chien maigre qui chasse un lapin, un ciel bleu dans lequel virevolte une linotte, des chants d'oiseau, des rires. La fille du rêve me prend par l'épaule et m'offre une tasse de thé sucré qui sent le miel et la guimauve.

– Ça va te guérir, chuchote-t-elle.

Je lui obéis et bois le breuvage épais, malgré la douleur qui me déchire la gorge.

Une autre voix me parvient dans mon sommeil.

– Reviens. J'ai besoin de toi...

Mais je suis perdue dans mes rêves.

– Tu as trouvé sa bague, m'explique Summer des heures, peut-être même des jours plus tard. Elle était dans son manteau avec la lettre. Tu as résolu le mystère, Skye, tu te souviens ?

J'ouvre les yeux.

– C'est vrai?

Summer me lit la lettre et, peu à peu, les mots de Clara apaisent la douleur qui m'oppressait.

Je suis désolée, Harry, vraiment désolée. Je pensais t'aimer, mais j'étais trop jeune, et j'étais amoureuse de l'idée de l'amour. Quand je l'ai compris, il était déjà trop tard. J'étais prise au piège, comme la linotte dans sa cage, parce que j'avais peur de te décevoir… et puis j'ai rencontré Sam. Il n'est pas aussi riche que toi et ne vient pas d'une famille renommée. Vous êtes aussi différents que le jour et la nuit. Mais je l'aime, et j'en suis vraiment, vraiment navrée, car il m'est impossible de me sortir de cette situation sans te blesser, alors que je n'ai jamais voulu cela, je te le jure…

Summer me caresse les cheveux.

– Je continue?

J'ouvre les yeux et hoche la tête. Au fil des mots, le reste de l'histoire apparaît au grand jour, comme cela aurait dû arriver il y a des dizaines d'années.

Quand père a découvert l'existence de Sam, il y a trois mois, il les a chassés, lui et sa famille. Il m'a ordonné de l'oublier et de me marier comme prévu. C'était mon devoir. Mais au fur et à mesure que les semaines et les mois passaient, j'ai compris que je ne pouvais pas t'épouser, Harry.

Je ne pouvais pas te décevoir. Sam m'a envoyé un message et nous avons décidé de nous enfuir ensemble pour nous marier et donner au bébé que j'attends un toit et une famille unie. Tu vois, je n'aurais pas pu te le cacher longtemps. Je ne pouvais pas t'épouser et te demander d'élever l'enfant d'un autre, même pour préserver mon honneur et celui de ma famille.

Je te laisse cette lettre et ma bague de fiançailles. J'ai relâché la linotte, car les oiseaux sont faits pour être libres. Peut-être qu'avec le temps tu parviendras à me pardonner, bien que je craigne que père et mère n'en soient incapables, eux. Ne t'inquiète pas pour moi. Je suis avec Sam et je suis heureuse. J'espère qu'un jour tu trouveras au fond de ton cœur la force de me comprendre.

Je te respecterai toujours,

Clara Jane Travers

31 mai 1926.

Summer serre ma main dans la sienne.

– Tu vois, Skye ? Ce n'est pas une lettre de suicide. Clara ne s'est pas noyée. Elle s'est vraiment enfuie.

Je plisse le front.

– Je ne comprends pas... les histoires... d'où viennent-elles alors ?

Summer hausse les épaules.

– Elles ont dû être inventées pour préserver l'honneur de la famille. Pour épargner la vérité à Harry et s'assurer que les villageois ne seraient jamais au courant du scandale. Tu imagines, la fille d'un homme riche qui tombe enceinte avant le mariage et s'enfuit avec des Gitans... Ils ont préféré se taire, cacher ses affaires et raconter une histoire si triste et si choquante que personne n'oserait jamais poser de questions. C'était une autre époque, Skye.

Mes yeux se remplissent de larmes, que Summer essuie doucement.

– Tu étais si loin, depuis quelques mois. Perdue dans un rêve. Je ne pensais pas pouvoir être aussi jalouse d'une malle pleine de robes en velours! Et maintenant, on découvre tout ça... c'est effrayant. On aurait dit que c'était écrit, que tu étais destinée à trouver la lettre pour faire éclater la vérité...

– Oui, c'était écrit. J'en suis sûre.

– Peut-être. Mais on a vraiment eu peur ces derniers jours... et avant aussi. Je ne sais pas pourquoi, je sentais que quelque chose allait arriver.

– Finalement, il ne s'est rien passé de grave. Je vais bien. Et maintenant qu'on a la lettre, on connaît la vérité. Il n'y a pas de quoi avoir peur. Je n'arrive pas à croire que j'avais les réponses à portée de main pendant tout ce temps, cachées dans le manteau que tu détestais tant.

Je souris faiblement. Et je me demande si toutes ces disputes avec Summer n'étaient pas simplement dues aux efforts de ma sœur pour me protéger. Plus elle essayait, plus je m'éloignais d'elle, et les secrets se sont peu à peu accumulés entre nous comme une barrière.

– Tu as toujours été plus forte que moi, Skye. J'ai besoin de toi. Tu le sais, pas vrai?

Je repense aux photos du pêle-mêle de notre anniversaire. Le soleil et l'ombre, moi prête à m'enfuir, Summer qui s'accroche à moi. Je croyais qu'elle voulait me retenir, mais peut-être qu'elle a vraiment besoin de moi?

– Moi aussi, j'ai besoin de toi, Summer. Mais parfois… il faut savoir lâcher prise. On sera toujours là l'une pour l'autre, mais il nous faut aussi une part de liberté.

– J'ai été bête, angoissée et égoïste. Jalouse aussi… de voir que tu t'entendais aussi bien avec Cherry et Tommy. Et puis tu tiens tête à Honey et elle t'écoute, alors que moi je marche sur des œufs avec elle, de peur de la contrarier. J'ai l'impression que tout est en train de changer, à commencer par nous. Avant, on faisait tout ensemble, on pensait et on ressentait les mêmes choses…

– Ah bon? Peut-être, mais ça remonte à longtemps. Ce n'est plus le cas depuis pas mal de temps.

Summer passe la main dans ses longs cheveux.

– Je suis tellement désolée, Skye. J'ai été nulle.

– Moi aussi. Mais on s'en fiche, ça peut s'arranger. Le changement, ça a parfois du bon.

On a du pain sur la planche. Il va falloir qu'on se parle sincèrement, pour qu'il n'y ait plus de secret ni de mensonge entre nous. Et je vais d'abord devoir me détacher du monde de mes rêves et de son parfum de guimauve que Summer déteste.

– Alors tu ne me trouves pas triste, fade et sans intérêt ? je demande.

Summer me regarde comme si j'étais folle.

– Triste ? Fade ? Tu rigoles, Skye ? Au contraire, tu es la personne la plus intéressante que je connaisse ! Tu es cool, pleine d'imagination, douce et gentille…

Mes peurs s'envolent. Je crois qu'on peut y arriver. D'une manière ou d'une autre, dans les semaines et les mois qui viennent, on trouvera un moyen de rester proches sans qu'aucune de nous ne se sente dans l'ombre de l'autre. Il faudra que chacune y mette du sien, qu'on apprenne à relativiser, à résister aux petites jalousies, à déployer nos ailes et à se faire confiance. Je pense qu'on en est capables.

Summer n'est pas parfaite et je n'ai pas besoin qu'elle le soit. J'ai juste besoin qu'elle m'aime.

Elle s'allonge à côté de moi, sa main fraîche dans la mienne, comme autrefois.

– On ne se tenait plus jamais la main comme ça, je chuchote.

– Je te tiens toujours la main, Skye. Que tu le saches ou non. Je ne te lâcherai jamais.

Je ferme les yeux, et cette fois aucun rêve ne vient me tourmenter.

La fièvre finit par tomber et le docteur m'autorise à recevoir plus de visites. Cherry m'apporte du thé au jasmin dans une petite tasse en porcelaine et Coco fait monter Joyeux Noël en cachette dans ma chambre, avant de me jouer un long solo grinçant sur son violon – j'en viens presque à regretter le moment où j'étais roulée en boule dans la neige ! Honey me peint à l'aquarelle, pâle et maigre, les yeux cernés de bleu.

Millie m'offre un bouquet de fleurs et me fait la morale.

– Tu nous as fichu une sacrée trouille, Skye. Quand on s'est rendu compte que tu avais disparu, tout le monde est devenu fou. Qu'est-ce qui t'a pris ?

– Je crois que la fièvre me faisait délirer.

– Si Summer ne t'avait pas retrouvée couchée dans la neige…

– Je sais. Mais elle m'a retrouvée.

Ma discussion avec Summer me pousse à lui parler franchement, à elle aussi.

– Millie, on est amies depuis très longtemps, pas vrai ?

– Une éternité. Depuis toujours.

– Et… tu crois que ça va continuer ? Parce que des fois j'ai eu l'impression qu'on s'éloignait. Je sais bien que tout le monde change en grandissant, mais… je ne sais pas, il y a comme un malaise depuis un moment. Je déteste ça.

– J'ai juste un peu de mal à savoir où j'en suis, dit-elle d'une toute petite voix.

Elle a les joues roses et les yeux pleins de larmes.

– Comment ça ?

– Je ne suis pas très douée. Je ne pensais pas pouvoir plaire à un garçon un jour, jusqu'à ce que Tommy m'embrasse à la fête. Je ne suis même pas sûre qu'il soit vraiment intéressé. Les garçons ne me regardent jamais, et je crois que je ne comprends pas grand-chose à la mode. Contrairement à toi, Skye. Je ne suis pas comme toi. Je suis banale. Toi, on te remarque, parce que tu es jolie, drôle et gentille et que tu portes ces super fringues vintage, et je sais que j'ai tendance à critiquer, mais tu es toujours super belle et ça me rend un peu jalouse. Tu te souviens, l'année dernière, quand j'ai voulu t'emprunter des affaires ? J'avais l'air déguisée. Mal déguisée.

– Oh, Millie ! Je croyais que tu en avais marre de moi. J'avais peur de te perdre.

– Et moi, je voulais juste avoir le sentiment d'être plus intéressante !

– Je pensais que tu préférais Summer !

Elle baisse la tête.

– Summer est géniale. C'est un peu mon modèle.
J'adorerais avoir une sœur comme elle. Mais toi,
tu es ma meilleure amie !

Le soulagement m'envahit et je me moque maintenant des coups de cœur de Millie, de ses lubies et de
ses mots durs, parce qu'on peut tout pardonner à sa
meilleure amie.

– Meilleures amies pour la vie !

Je la serre dans mes bras malgré ma fatigue.

– Alors comme ça, je reprends, tu sors avec Tommy ?

Elle fronce les sourcils.

– Je ne sais pas trop. A priori, oui. Il est un peu dis-
tant, mais à la fête j'avais l'air de lui plaire. Je crois
qu'on va plutôt bien ensemble !

– C'est clair.

Peu après le départ de Millie, Tommy passe me voir
à son tour. Il m'apporte un paquet de Chamallows
à moitié vide.

– Je n'ai pas fait exprès. Je voulais juste les goûter,
mais une fois qu'on commence… c'est dur de s'arrêter. Enfin, c'est l'intention qui compte.

– Il paraît que tu as une copine ?

– Pas vraiment. C'est Millie qui t'a dit ça ?

– Disons qu'elle aimerait bien y croire…

Tommy secoue la tête.

– Je suis amoureux de Summer, dit-il en baissant la voix et en vérifiant d'un coup d'œil que ma sœur n'est pas dans les parages. Et je suis fidèle.

– J'ai vu ça.

– C'est Millie qui m'a sauté dessus ! Je te jure, j'ai rien pu faire. C'est une mangeuse d'hommes !

– Ça, c'est un scoop !

Le lendemain, je suis décidément en bonne voie de guérison et Mrs Lee me rend visite, une enveloppe pleine de photos à la main.

– Je t'avais promis de chercher les vieilles photos de ma mère, Skye. Celles du temps des Tsiganes et des voyages. Et comme j'ai appris que tu étais malade, je me suis dit que j'allais te les apporter.

– Oh, merci !

Elle étale les photos sur ma couverture, qui devient un patchwork de vieilles images en noir et blanc. Mon cœur se met à battre un peu plus vite. Je n'avais jamais vu ces photos. Tous ces gens doivent être morts depuis longtemps... et pourtant leurs visages me paraissent étrangement familiers.

Une jeune femme avec des fleurs de mauve dans les cheveux, un homme à la peau foncée qui sourit, un bébé aux douces boucles brunes... des groupes d'enfants aux genoux crottés en habits du dimanche, des roulottes, des chevaux pie et des feux de camp...

Sur des clichés plus récents, on voit une jeune femme en robe des années cinquante et un couple âgé qui sourit à l'appareil, assis sur les marches d'une roulotte. Comme dans mes rêves.

– Qui sont ces gens ? je souffle.

– Elle, c'est ma mère, Linn, explique Mrs Lee en montrant le bébé aux cheveux bouclés. Avec ses parents. Celle-là a été prise plus tard, quand elle avait déjà rencontré mon père. Et là, ce sont mes grands-parents devant leur vardo. Ils voyageaient dans toute la région, et même bien plus loin, à l'époque. Mais après la guerre, la vie est devenue difficile pour les Gitans… Ma mère s'est installée dans une maison après son mariage. Même mes grands-parents, à la fin, habitaient dans un logement social. Bien sûr, ils n'ont jamais oublié leur ancien mode de vie.

Je prends la photo du couple âgé sur les marches de la roulotte et une autre où l'homme, plus jeune, sourit à côté de sa femme. Elle a là aussi des fleurs de mauve dans les cheveux.

– Comment s'appelaient-ils ? Vos grands-parents ?

Mrs Lee sourit.

– Le nom de mon grand-père était Sam Cooper. Et elle, c'était Jane.

Jane… Les pièces du puzzle s'assemblent enfin. Clara Jane Travers s'est enfuie et a commencé une nouvelle vie sous le nom de Jane Cooper. Je suis en train de contempler un fantôme, et les larmes me montent aux yeux.

J'ai porté ses robes, écouté sa musique, senti son parfum de guimauve planer autour de moi. J'ai rêvé ses rêves, ses souvenirs ou quelque chose comme ça. Et voilà qu'enfin je découvre toute son histoire.

Clara Travers. Elle a vécu, elle a aimé et elle a été heureuse... et puis elle a terminé ses jours dans un petit appartement aux côtés de l'homme qu'elle adorait. C'est ce qui s'appelle une fin de conte de fées.

— Vous m'avez dit qu'elle s'appelait comment, votre mère, déjà ?

Dans sa lettre, Clara annonçait à Harry qu'elle portait l'enfant de Sam Cooper. Mrs Lee prend une photo du bébé bouclé.

— Linn. C'est un diminutif pour Linotte. C'est un oiseau des bois, un petit oiseau brun... On n'en voit presque plus de nos jours. Joli nom, tu ne trouves pas ?

Je pense au petit oiseau brun à la poitrine rouge enfermé dans sa cage. Je sens presque ses ailes bouger sous mes doigts et je le vois s'envoler vers le ciel et la liberté. C'était Linn, pas Finn.

— Oui, très joli.

J'ai des réponses à beaucoup de mes questions, mais pas à toutes. Mes rêves étaient-ils des souvenirs, des visions ou des échos du passé ? Ou simplement le fruit de mon imagination débordante, qui essayait de trouver un sens à une histoire triste ? Je ne le saurai jamais. Je ne crois toujours pas aux fantômes, mais disons que je suis un peu plus ouverte à l'idée.

Du coup, mon obsession disparaît aussi vite qu'elle est venue. Les robes ne sont plus que des morceaux de velours, le Gramophone une belle antiquité et le violon un instrument de torture entre les mains de Coco. Même si je m'assure que la cage bleue reste toujours ouverte, ce n'est plus rien d'autre qu'un joli support pour plante.

Ce que je retiendrai de Clara, c'est son courage, son honnêteté, et la certitude qu'il est inutile de se forcer à suivre une voie qui ne nous convient pas. Il faut écouter son cœur et rester fidèle à soi-même, comme elle l'a fait.

Je n'ai toujours pas compris ce que Finn venait faire dans cette histoire. Le garçon de mes rêves ne ressemblait pas à Sam Cooper, l'amoureux de Clara. Peut-être que c'était simplement le portrait que je me faisais d'un jeune et beau Gitan ? C'était sans doute une illusion, un mirage auquel je m'accrochais en attendant d'être prête à vivre une vraie histoire. Qu'y a-t-il de plus inaccessible qu'un garçon idéal inventé de toutes pièces ?

Mes rêves ont cessé et je sens comme un vide là où Finn se trouvait. Je garde ça pour moi ; après tout, je ne vois pas comment quelqu'un qui n'a jamais existé pourrait me manquer.

Même si je ne descends pas directement des Gitans, Clara était mon arrière-grand-tante, ce qui veut dire que Linn était ma cousine éloignée. Peut-être que Mrs Lee a raison : peut-être que j'ai le don de percevoir des ombres, des sentiments et des histoires surgis du passé ? Bien sûr, je ne vais pas le lui dire, parce que je ne tiens pas à ce qu'elle me donne des leçons de boule de cristal et me colle un foulard à pois sur la tête !

C'était déjà assez délicat comme ça, de devoir lui annoncer que sa grand-mère, Jane Cooper, était une fille de bonne famille qui s'était enfuie avec des Gitans la veille de son mariage, en 1926. Et que ses parents étaient tellement scandalisés qu'ils avaient préféré raconter qu'elle s'était noyée.

Depuis cette révélation, Mrs Lee est toujours fourrée chez nous. Elle passe une ou deux fois par semaine, après son travail, pour prendre le thé avec maman et lui donner les adresses des frères et sœurs de Linn, qui sont encore en vie et sont dispersés dans tout le pays, voire un peu partout à l'étranger. Nous venons de découvrir une branche entière de la famille dont nous ne soupçonnions même pas l'existence.

Mrs Lee a parlé à Grace, la conservatrice du musée, et elles vont organiser une exposition sur les Gitans et l'histoire de Clara. La postière prêtera ses photos, et nous les robes en velours, les lettres, la bague de fiançailles, le Gramophone avec les disques de jazz, la cage à oiseau et le violon.

– D'ailleurs, vous pouvez garder le violon aussi longtemps que vous voudrez, a précisé maman. Si, si, j'insiste !

Le journal local publie un article à propos de tout ça, ce qui est plutôt chouette, et Mr Merlin y consacre un cours entier. Il me demande de mettre la robe verte et un chapeau cloche pour raconter l'histoire devant la classe. Au début, je suis un peu intimidée, mais après une ou deux phrases un peu bafouillantes je deviens plus sûre de moi et c'est un vrai succès. Finalement, ce n'est pas si mal, de se retrouver sous le feu des projecteurs ! Millie et Tommy déclarent que c'était le cours d'histoire le plus sympa depuis la momification de la Barbie, en primaire.

Je commence à m'habituer au fait que Summer sorte avec Zack Jones. Millie, de son côté, n'en veut plus à Tommy de partir en courant dès qu'il l'aperçoit. Elle prend ça avec philosophie.

– Au moins, j'ai eu mon premier baiser ! dit-elle pour se consoler.

Tommy craque toujours pour Summer, malgré mes efforts pour lui expliquer qu'il n'a aucune chance. Il s'en fiche et continue à rêver – et je suis mal placée pour lui en vouloir. Moi, j'ai bien craqué pour un garçon qui n'a jamais existé...

Tous les deux, on se console comme on peut en buvant des chocolats chauds couverts de mini-Chamallows.

Et puis, alors que je pensais que toute cette histoire était enfin terminée, il se produit un dernier rebondissement.

Un soir, en rentrant du collège, Summer, Coco et moi trouvons maman et Paddy assis à la table de la cuisine en compagnie d'une femme aux cheveux gris coupés au carré, qui a l'air très sympa. Il y a aussi un homme et une femme plus jeunes, très souriants, qui prennent des notes en mangeant des muffins. Le parfum de la guimauve embaume toute la cuisine.

– Oh, les filles ! dit maman. Je vous présente Nikki, Phil et Jade, qui travaillent pour la chaîne de télé dont je vous ai parlé. Ils font des repérages pour un film, vous vous souvenez ? Et, grande nouvelle, ils ont décidé d'utiliser la roulotte !

– Super ! s'écrie Summer.

– Nous recherchons des lieux de tournage aux alentours de Kitnor, explique Nikki. La campagne est parfaite, c'est tout à fait ce qu'il nous faut. On va tourner quelques essais, et si tout se passe bien...

– Il va sans doute y avoir un tournage à Kitnor pendant les vacances d'été, continue Paddy. Vous imaginez un peu ?

Je frémis d'excitation.

– Avec la roulotte ? je demande. Ce sera quel genre de film ?

– Historique. Basé sur la vie des Gitans qui vivaient dans la région il y a des années de ça. Votre mère nous a montré un article sur une fille d'ici... Clara, c'est ça ? Une histoire super. Je sens que ça pourrait marcher, et le bed and breakfast sera l'endroit idéal où loger.

Moi aussi, j'ai un bon pressentiment. Les dernières bribes de tristesse laissées par l'hiver sont en train de s'envoler et je me sens plus forte, plus courageuse et plus du tout dans l'ombre de ma sœur. Finalement, l'avenir ne me fait plus aussi peur qu'avant.

Je prends la laisse de Fred, suspendue à un crochet près de la porte, et j'annonce :

– Je vais promener le chien. Je reviens pour le dîner.

Fred traverse le jardin en courant et dépasse la roulotte, devant laquelle je m'étais assise avec Tommy le soir du réveillon. Les arbres commencent à se couvrir de jeunes feuilles vert tendre et des primevères jaune pâle parsèment le sol. Il n'y a pas un seul nuage dans le ciel bleu.

Je ne rêve plus de la forêt, ni de feux de camp, de chevaux pie ou de roulottes au toit arrondi ; pourtant, ce serait vraiment cool que l'équipe de tournage s'installe ici et que tout cela devienne réel grâce au film.

Est-ce que les rêves du passé peuvent donner un aperçu de l'avenir ?

On ne sait jamais, après tout.

Soudain, Fred se met à aboyer, à japper et à agiter la queue. Il revient vers moi, un peu inquiet, et quand je lève les yeux, je vois sortir d'entre les arbres un garçon aux cheveux sombres et bouclés. Son grand sourire me fait fondre aussi facilement que Paddy fait fondre le chocolat. Mon cœur se met à battre la chamade.

Bien sûr, ça ne peut pas être réel.

Le garçon qui s'approche porte un tee-shirt rouge, une vieille veste de l'armée et un jean slim. Ses Converse sont couvertes de boue et sa peau est plus pâle que dans mes rêves.

– Salut, dit-il.

– Salut.

Non, ça ne peut pas être réel, même si Fred lui lèche la main et renifle ses chaussures, même s'il me regarde de ses grands yeux bleus qui me font chavirer le cœur.

– Tu es une des sœurs ? Une des Filles au chocolat ?

– Je m'appelle Skye.

– Pardon, je recommence : salut, Skye ! C'est cool, comme nom. Maman m'a montré l'article dans le journal avant Noël. C'est en le lisant qu'elle a eu l'idée de venir ici, à cause de la roulotte et tout ça. Elle trouve que ce serait parfait pour le film, alors nous voilà. Sérieux, c'est encore mieux que prévu : les bois, la plage, et le village avec les vieilles maisons, j'adore.

Je déglutis.

– Tu es venu avec Nikki ? Avec les gens de la télé ?

– Oui, Nikki est ma mère. Si l'équipe tourne ici cet été, on risque de se croiser souvent tous les deux. Alors enchanté, Skye !

Il me tend la main comme un gentleman. Quand nos doigts se frôlent, je ressens une décharge électrique.

– Je m'appelle Jamie. Jamie Finn...

Cherry Costello

❀

Timide, sage, toujours à l'écart
Elle a parfois du mal à distinguer le rêve
de la réalité
13 ans

Née à : Glasgow
Mère : Kiko
Père : Paddy

Allure : petite, mince, la peau café au lait,
les cheveux raides et noirs avec une frange,
elle a souvent deux petits chignons

Style : jeans moulants de toutes les couleurs,
tee-shirts à motifs japonais

Aime : rêver, les histoires, les fleurs de cerisier,
le soda, les roulottes

Trésors : kimono, ombrelle, éventail japonais,
une photo de sa mère

Rêve : faire partie d'une famille

Coco Tanberry

Chipie, sympa et pleine d'énergie
Elle adore l'aventure et la nature
11 ans

Née à : Kitnor
Mère : Charlotte
Père : Greg

Allure : cheveux blonds et bouclés,
coupés au carré et toujours en broussaille,
yeux bleus, taches de rousseur, grand sourire

Style : garçon manqué, jeans, tee-shirts,
elle est toujours débraillée et mal coiffée

Aime : les animaux, grimper aux arbres,
se baigner dans la mer

Trésors : Fred le chien et les canards

Rêve : avoir un lama, un âne et un perroquet

Skye Tanberry

Avenante, excentrique, indépendante
et pleine d'imagination
12 ans
Sœur jumelle de Summer

Née à : Kitnor
Mère : Charlotte
Père : Greg

Allure : cheveux blonds jusqu'aux épaules,
yeux bleus, grand sourire

Style : chapeaux et robes chinés
dans des friperies

Aime : l'histoire, l'astrologie, rêver et dessiner

Trésors : sa collection de robes vintage
et un fossile trouvé sur la plage

Rêve : voyager dans le temps pour voir
à quoi ressemblait vraiment le passé...

Summer Tanberry

❊

Calme, sûre d'elle, jolie et populaire
Elle prend la danse très au sérieux
12 ans
Sœur jumelle de Skye

Née à : Kitnor
Mère : Charlotte
Père : Greg

Allure : longs cheveux blonds tressés
ou relevés en chignon de danseuse,
yeux bleus, gracieuse

Style : tout ce qui est rose...
Tenues de danseuse et vêtements à la mode,
elle est toujours très soignée

Aime : la danse, surtout la danse classique

Trésors : ses pointes et ses tutus

Rêve : intégrer l'école du Royal Ballet, devenir
danseuse étoile, puis monter sa propre école

Honey Tanberry

Lunatique, égoïste, souvent triste...
Elle adore les drames, mais elle sait aussi
se montrer intelligente, charmante,
organisée et très douce
14 ans

Née à : Londres
Mère : Charlotte
Père : Greg

Allure : longs cheveux blonds ondulés, yeux bleus,
peau laiteuse, grande et mince

Style : branché, robes imprimées, sandales,
shorts et tee-shirts

Aime : dessiner, peindre, la mode, la musique...
et Shay Fletcher

Trésors : ses cheveux, son journal, son carnet à dessin
et sa chambre en haut de la tour

Rêve : devenir mannequin, actrice
ou créatrice de mode

Les recettes au chocolat

Fondant au chocolat et aux mini-Chamallows

Il te faut :
une tablette de chocolat au lait • deux poignées de mini-Chamallows ou de gros Chamallows que tu auras préalablement coupés en morceaux • 6 biscuits sablés en morceaux • quelques raisins secs (facultatif)

1. Fais fondre le chocolat au bain-marie.

2. Lorsqu'il est fondu, laisse-le refroidir un peu, puis ajoute les autres ingrédients en mélangeant bien (attention de ne pas trop écraser les morceaux de biscuits).

3. Verse ce mélange dans un moule recouvert de papier cuisson, lisse la surface et place le tout au réfrigérateur pendant quelques heures.

4. Quand le fondant a pris, démoule-le sur un plat, coupe-le en petits carrés et déguste-le avec une bonne tasse de chocolat chaud.

Brochettes de guimauves

Il te faut :

100 g de chocolat en morceaux • 10 cl de crème fraîche liquide • un paquet de Chamallows • quelques fruits (fraises, bananes ou kiwis) • des piques à brochettes en bois • un demi-pamplemousse (facultatif)

1. Place le chocolat et la crème dans un saladier qui passe au micro-ondes et fais chauffer 1 ou 2 min. Mélange à la cuillère jusqu'à ce que le chocolat soit bien lisse.

2. Pique les Chamallows sur des brochettes en bois et trempe-les doucement dans le chocolat fondu. Laisse-les refroidir au-dessus d'une assiette creuse.

3. Pendant ce temps, découpe les fruits en morceaux de la même taille que les Chamallows.

4. Complète chaque brochette avec un morceau de fruit de ton choix.

5. Pour une jolie présentation (par exemple, pour un buffet d'anniversaire), si tes brochettes ne sont pas trop grandes, tu peux les planter dans un demi-pamplemousse.

Quelle fille
au chocolat
es-tu ?

❀ Pour ton anniversaire, tu rêves :

1. d'une journée romantique avec ton amoureux
2. de construire une cabane dans un arbre pour y goûter avec tes amis
3. d'une boum déguisée
4. de sortir dans un endroit branché
5. d'une soirée pyjama

❀ Dans ta chambre, il y a :

1. des livres
2. beaucoup de désordre !
3. des plantes et des posters de tes artistes préférés
4. des CD et des vêtements en pagaille
5. des vieux objets que tu aimes remettre au goût du jour

❀ Tes vêtements préférés sont en :

1. soie
2. coton bio
3. mousseline
4. jean
5. dentelle

✳ Quand tu es triste, pour te changer les idées, tu...

1. t'inventes des histoires gaies
2. te réfugies auprès de ton animal de compagnie
3. danses, chantes, joues de la musique, tout ce qui te permet d'exprimer tes sentiments !
4. t'enfermes dans ta chambre et mets la musique à fond
5. te confies à ta meilleure amie

✳ Tu oublierais plutôt :

1. de mettre un carnet dans ton sac pour noter ce qui te passe par la tête
2. d'essuyer tes pieds pleins de terre en rentrant chez toi
3. de prendre ton petit déjeuner
4. de rester calme quand tu parles à tes parents
5. de ne pas rêvasser en classe

✳ Tu préférerais donner ton nom à :

1. une étoile
2. une association pour la protection des animaux
3. un pas de danse
4. une ligne de vêtement
5. un musée

❄ Après les cours, tu aimes par-dessus tout :

1. regarder un film en mangeant du chocolat
2. promener ton chien
3. faire les boutiques avec tes copines
4. retrouver ton petit copain
5. fouiner dans les magasins de vêtements d'occasion

❄ Le stage de tes rêves, tu le ferais :

1. dans un magasin de thé
2. dans un zoo
3. à l'Opéra
4. sur le tournage d'un film
5. sur un chantier de fouilles archéologiques

Tu as obtenu un maximum de 1 : Cherry
Tu aimes les histoires, celles que tu lis mais aussi celles que tu inventes. Romantique, tu aimes les endroits qui attisent ta créativité et tu rêves de longues promenades au bras de ton amoureux...

Tu as obtenu un maximum de 2 : Coco
Rien ne t'amuse plus qu'enfiler des bottes en caoutchouc et sauter dans les flaques d'eau en criant. Après tout, pourquoi s'en priver ? Pour toi, il faut profiter de la vie, tout en protégeant son environnement ; tu es une vraie graine d'écologiste !

Tu as obtenu un maximum de 3 : Summer
Déterminée, passionnée et sensible, tu es prête à tout pour aller au bout de tes rêves... ce qui ne t'empêche pas d'adorer les sorties entre copines !

Tu as obtenu un maximum de 4 : Honey
Tu es à l'affût des dernières tendances et cultives ton look branché. Tu fais parfois l'effet d'un ouragan à ton entourage qui ne sait pas toujours comment s'y prendre avec toi... Pourtant tu aimes te sentir entourée.

Tu as obtenu un maximum de 5 : Skye
Originale, romanesque, créative et très curieuse, tu aimes lire, te déguiser, fouiller, te documenter... N'aurais-tu pas une âme de détective ?

L'auteur

Cathy Cassidy a écrit son premier livre à l'âge de huit ou neuf ans, pour son petit frère, et elle ne s'est pas arrêtée depuis.

Elle a souvent entendu dire que le mieux, c'est d'écrire sur ce qu'on aime. Comme il n'y a pas grand-chose qu'elle aime plus que le chocolat… ce sujet lui a longtemps trotté dans la tête. Puis, quand une amie lui a parlé de sa mère qui avait travaillé dans une fabrique de chocolat, l'idée de la série « Les Filles au chocolat » est née !

Cathy vit en Écosse avec sa famille. Elle a exercé beaucoup de métiers, mais celui d'écrivain est de loin son préféré, car c'est le seul qui lui donne une bonne excuse pour rêver !

N° éditeur : 10221803 – Dépôt légal : février 2012
Achevé d'imprimer en janvier 2016 par CPI Bussière
(Saint-Amand-Montrond, Cher, France)
N° d'impression : 2019859